渾沌の恋人《ラマン》

L'amant du chaos

北斎の波、芭蕉の興

La vague de Hokusai, l'allégorie de Bashō

恩田侑布子
Yuko ONDA

春秋社
Shunjusha

渾沌の恋人《ラマン》　目次

葛飾北斎　しんはんくみあげとうろふゑ　天の岩戸神かぐらの図　下（ボストン美術館蔵）

岩戸の奥に太陽の赤い後光をまとったアマテラスが微笑んでいる。上半身が七センチほどのアマテラスは、初々しい少女のようにはにかんでいる。…なんと天の岩戸ときたら、春画にも腕をふるった北斎らしく、襞もこまやかな女陰そっくり。焚火を切り抜いて、その前に立たせたら、高千穂の古代の闇がひたひたと迫ってきそうだ。

葛飾北斎 冨嶽三十六景 神奈川沖浪裏 （ボストン美術館蔵）

時間と空間は、絵に向かう者の心身に浸みいり、うねりくねって
渦巻き、吼え叫んでは生き続ける。

鳥獣戯画　甲巻（京都・高山寺蔵）

ここにあるのは媚もへつらいもない天地いっぱいにはじける笑い声だ。まぶしく炸裂する純粋感情だ。からかい、ふざけ、くすぐりっこして飽きなかった子ども時代がよみがえる。無邪気な底抜けのよろこびが空間を満たしている。

青井戸茶碗　銘　柴田（根津美術館蔵）

そうだ、海を呑むのだ。ようこそと地球がやわらかな手をひろげた。…ふわあっと全身が根源に帰ってゆく。

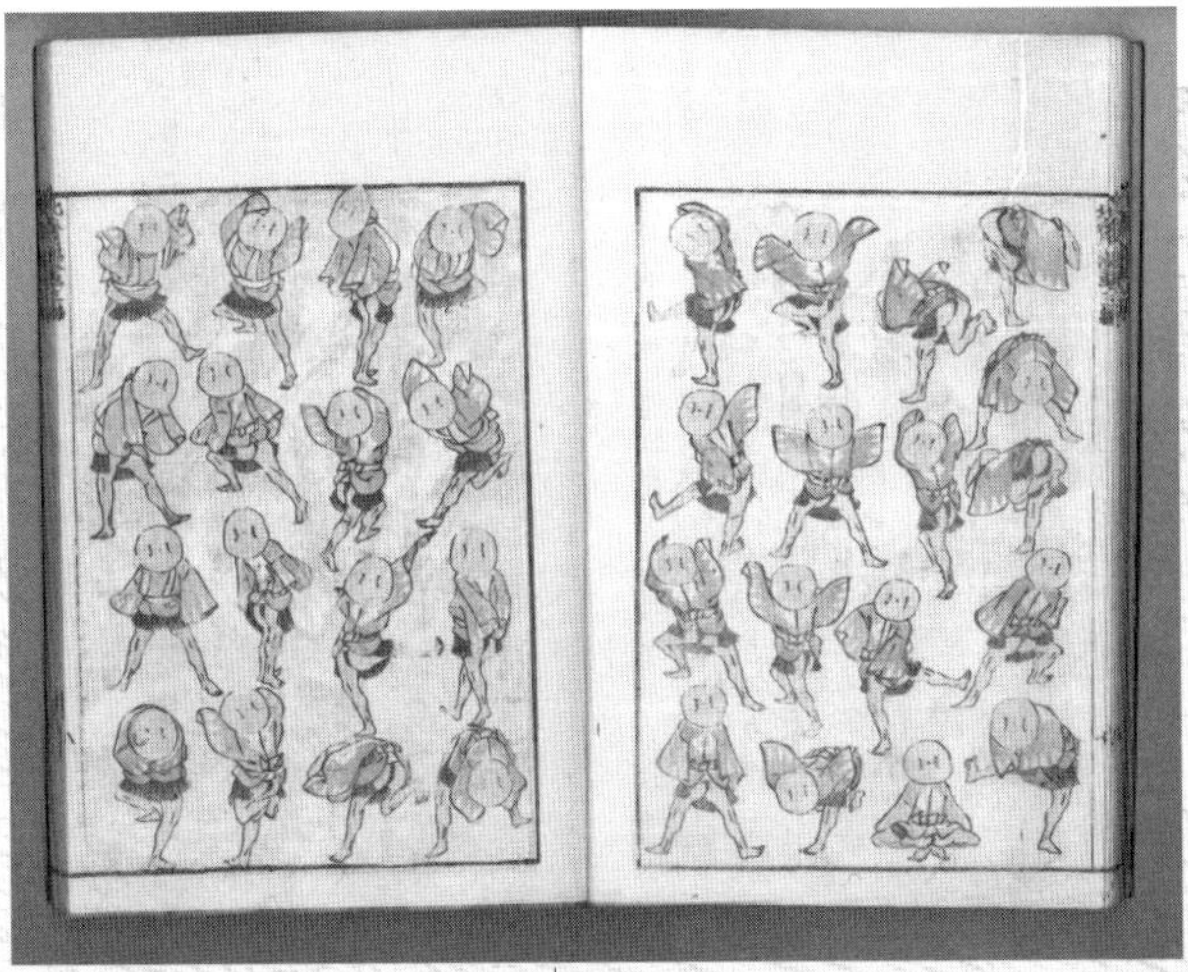

葛飾北斎　伝神開手 北斎漫画 三編　雀踊り

（すみだ北斎美術館蔵　画像提供：すみだ北斎美術館／DNPartcom　許可なく複製を禁ず）

笠で顔のみえない男の身体のリズムにこちらもついつい同期する。
ピーヒャラ、ヒャララ、祭り笛に踊らされるように全身の細胞がウズウズしてくる。

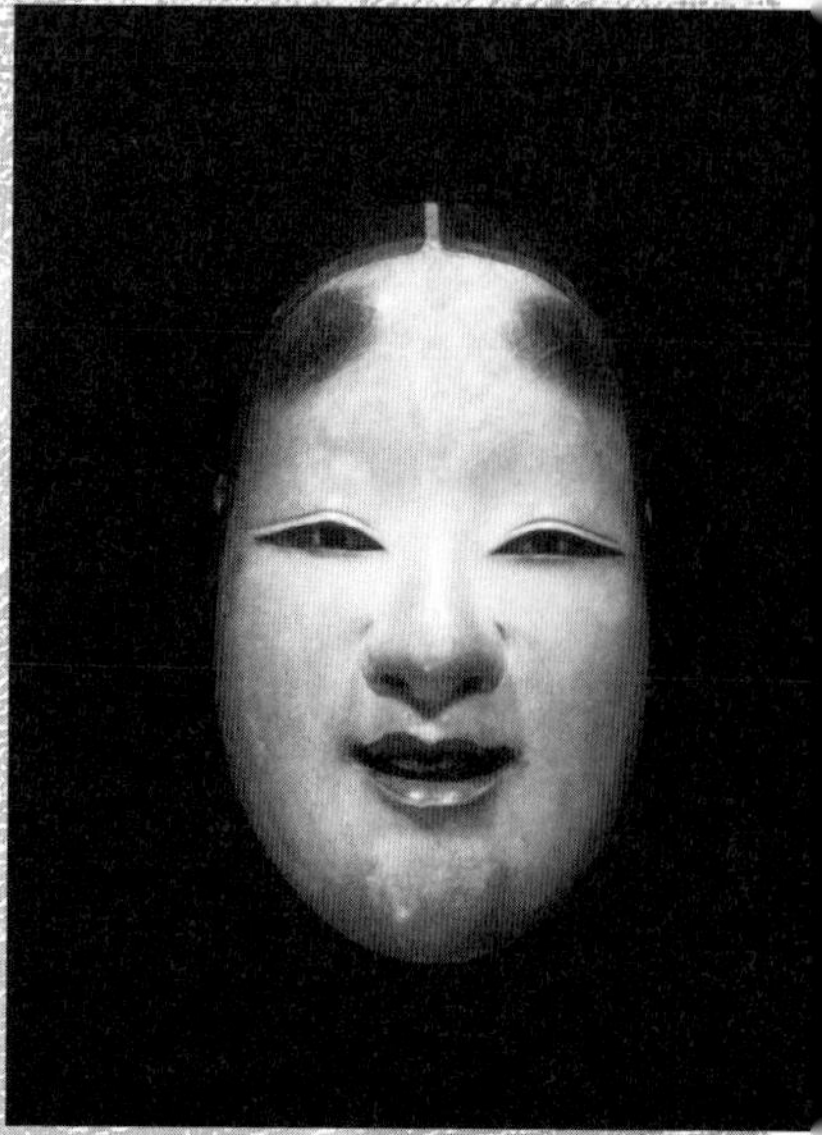

花の小面（三井記念美術館蔵）

扇の影に面をくもらせる夢幻能のシテがほの昏く揺曳する。……弱く小さな詩は、眼に見えないものの世界へも水輪をひろげ、長大な時空に交わろうとする。

阿弥陀二十五菩薩来迎図　早来迎（京都・知恩院蔵）

夜桜のはかなくあかるむ山水に窓を開け放った念仏者を、西方浄土から早雲が迎えに来る。そのスピード感は、こころもからだもまもなく浄土に溶かし込まれる予兆のなかで、どこか官能美すら漂わせる。

狩野永徳　上杉本洛中洛外図屏風両隻（米沢市上杉博物館蔵）

京の路地を武士も法師も町民も、子どもや犬までが噎かえるような金雲を踏んづけて往来している。

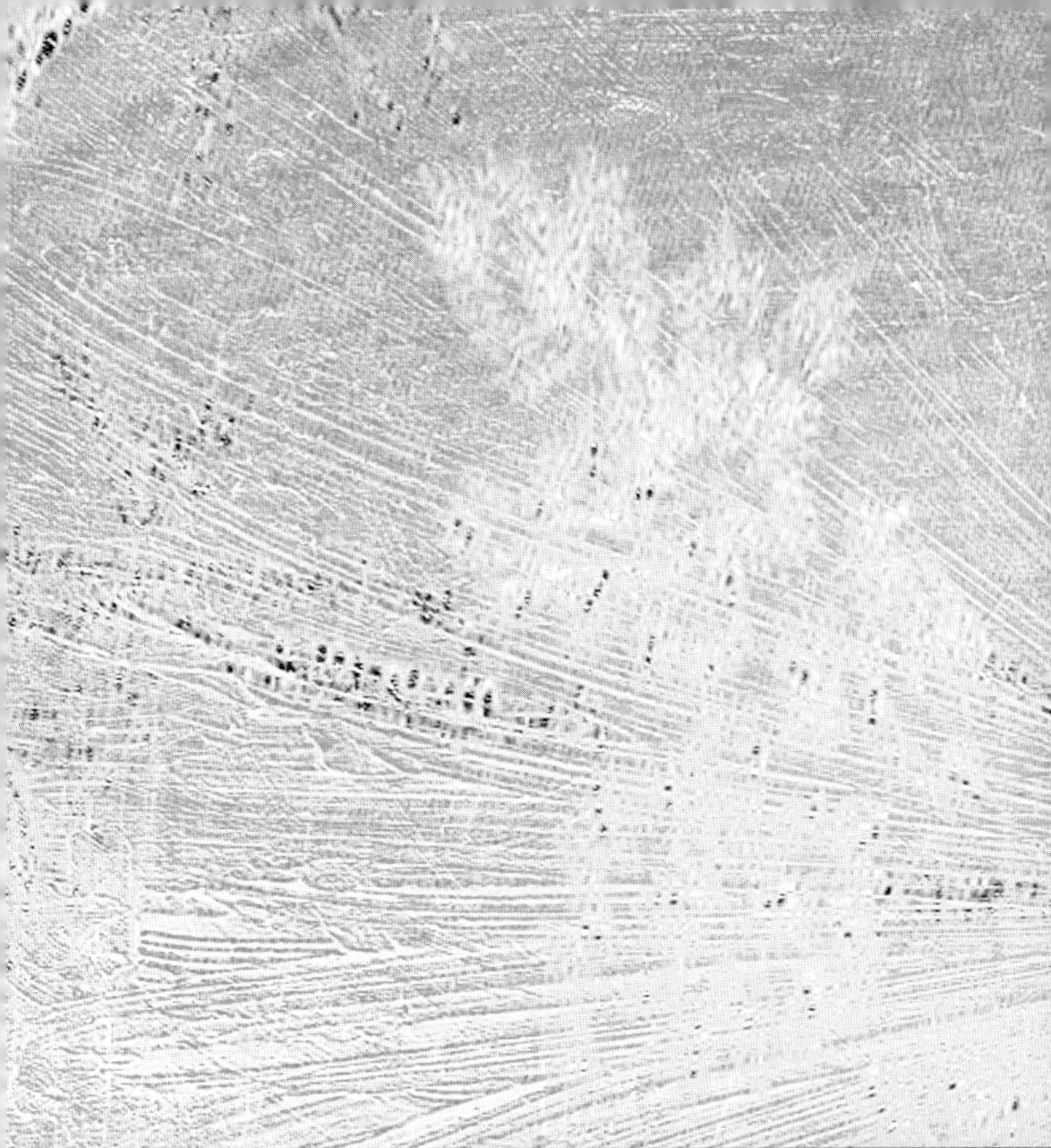

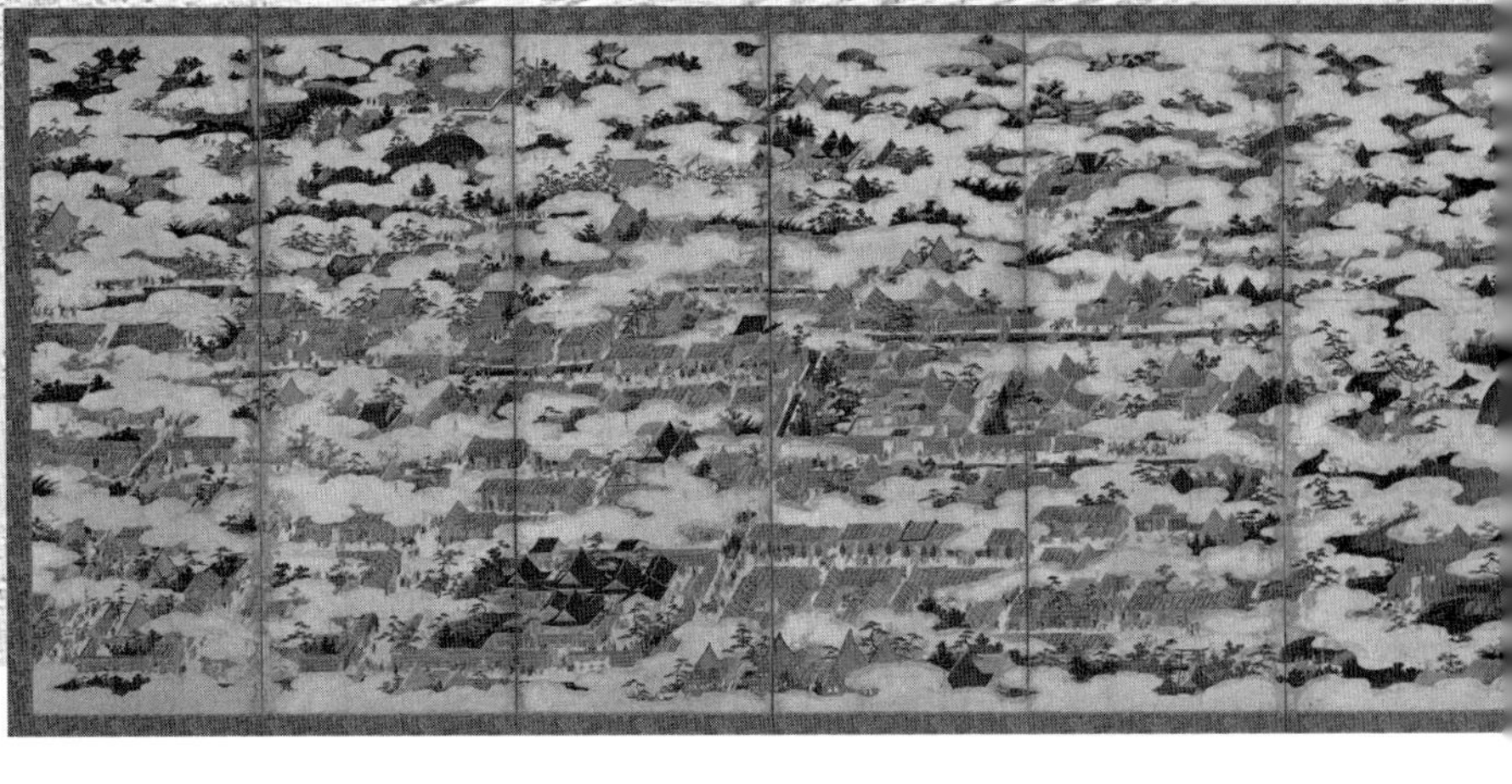

クリムト　接吻（ベルヴェデーレ宮殿オーストリア絵画館蔵）

星ぞらのはても花野よしらつゆの宇宙ふくらむまへの接吻

雪舟　慧可断臂図（愛知・斉年寺蔵）

この一瞬は完結していない。こちらではなく、真横を向く達磨と慧可の視線がそれを告げている。流れる時のなかに二人はただいまも生きている。達磨と慧可はわたしであり、あなただったのだ。

伊藤若冲　果蔬涅槃図（京都国立博物館蔵）

悲しみを濾過したほのぼのとした笑いのなかに、何という清浄な空気が流れていることか。

……わたしたちは誰しもが自在なやわらかいほほえみに迎え入れられ、くつろぐのである。

渾沌の恋人《ラマン》

北斎の波、芭蕉の興

凡例

一、引用の韻文は、原文の表記に即し、漢字の旧字体、歴史的仮名遣いを用いた。
一、散文は原則として新字体に改め、仮名遣いは原文のままとした。
一、読みやすさを考慮し、適宜原文にないルビを加えた。

プロローグ

芭蕉の恋

芭蕉は女のひとを恋したことがあったのかしら。不審に思ったのは、世評高い連句の恋の座が、あまりに出来すぎていたからである。

足駄はかせぬ雨のあけぼの　越人　『あら野』
きぬ〴〵やあまりかぼそくあてやかに　芭蕉
かぜひきたまふ声のうつくし　越人
手もつかず昼の御膳もすべりきぬ　芭蕉

昭和連句界の大御所、東明雅《ひがしあきまさ》はこんなお墨付きを与えた。「この越人《えつじん》の付句は、芭蕉の句に見られる窈窕《ようちょう》たる美女の風情をさらに艶美にし、官能的な魅力を引き出しながら、しかもそれを浪漫的な抒情の世界に昇華させている。芭蕉の恋句の付合《つけあい》の中でも、最も艶美なものの一つであろう」（東明雅『芭蕉の恋句』岩波新書、一九七九年）。炯々《けいけい》たる審美家、安東次男も「王朝絵巻の一こまでも見るように優美に仕立てられてい」ると称讃した。

わたしは疑問を抱いた。芭蕉ほどの詩人が、こんなそつのない予定調和の恋にトキメクのだろうか。巧みに道具立てを揃えましたという小説的展開に収まっている。女人を恋う足元をゆるがす懊悩が、微塵も感じられない。

芭蕉は、元禄七（一六九四）年十月十二日、大坂で客死する。旅の途上の同年六月、妾といわれる寿貞《じゅてい》の訃に接し、ふるさと伊賀上野で新盆の供養をする。その追悼句を諸家は深い情愛とこぞって評価する。名句集『雪女』をもつ眞鍋呉夫《まなべくれお》もこの句が大好きだった。感に堪えぬようにいった声が、いまも耳に残っている。

「〈数ならぬ身となおもひそ玉祭り〉いいじゃありませんか。寿貞を芭蕉さんは本当に大事に思っていたんですねえ」

わたしは変人なのかしら。ちっともそう思えなかった。「あなたは路傍の石なんかではありませんよ」と認める一方に憐憫《れんびん》が透いてみえる。ねぎらいはあっても、ここに恋慕はない。わたしが寿貞なら、上から目線のこんな余裕綽々《しゃくしゃく》の慰めなんかいらない。葉先にこすった小指のかすり傷ほどでもいい。血の匂いのにじむ悼句が欲しい。

小学六年生のころ、国語の教科書に『おくのほそ道』の数句があって、好きな句に感想を書いてきなさいと宿題が出た。〈一家《ひとつや》に遊女も寝たり萩と月〉を、遊女とは何かもしらぬままに選んだ。調べの優しさが童謡「うれしいひなまつり」の「金のびょうぶにうつる灯を／かすかにゆする春の風」に似ている気がしたから。とはいえ、この市振《いちぶり》の遊女の登場の仕方も、やはり小説的な結構といえる。共感しているようでも、上から目線はぬぐえない。

では、芭蕉に本当の恋はなかったのだろうか。それがあった。危うくて、じつに切ない恋が。
『冬の日』として編まれることになる尾張の歌仙で、芭蕉は運命のひと杜国《とこく》と出会う。その男色関係は、松野鶴太郎『芭蕉と杜国』（一九八二年）や復本一郎『江戸俳句夜話』（日本放送出版協会、一九九八年）に詳しい。両刀遣いの芭蕉は精神的にも深い衆道《しゅどう》を好み、市井の女性に燃えることはなかったと思われる。連句の頭で作った恋句のソツのなさが腑に落ちる。熱田を発つ芭蕉が杜国に送った次の句とは次元がちがう。

白げしにはねもぐ蝶の形見哉　『野ざらし紀行』

白げしの花びらに分け入って蜜を吸っていた蝶が、みずから白い翅《はね》をもぎ、わたしを忘れないでと黙《もだ》し与える。『荘子《そうじ》』の胡蝶の夢にある「栩栩然《くくぜん》として胡蝶也」から「栩栩斎桃青」と号したひとが、杜国にたいして「はねもぐ」という。ただならぬ寂寞《しじま》に、もうあなたのいない空など飛べない。飛びたくないという激情が潜む。杜国二十七歳、芭蕉四十一歳の恋である。芭蕉の美意識の一つに、清らかなもの同士をエキセントリックに重ねる手法がある。この句でも白昼・白げし・紋白蝶とひかりの多層幻像は、純白のハレーションをひきおこさずにはいられない。これは杜国が『冬の日』の歌仙で詠んだ〈花蕣馬骨《はないばらばこつ》の霜に咲かへり〉の白尽くめと〈芥子《けし》のひとへに名をこぼす禅〉への唱和だったのであろうが、芭蕉という文学者の詩魔でもあったろう。この恋がなければ『おくのほそ道』の詩の高峰もついに出現しなかったのではないか。空米《くうまい》の売買で伊良湖岬に流された罪人杜国を、芭蕉は大胆にも旅に誘う。あられもない衆道名「万菊丸」に改名した美童との禁断の蜜月旅行は、五十年の芭蕉の人生における黄金期であったとわたしは思う。

雲雀より空にやすらふ峠《たうげ》哉《かな》　『笈の小文』

従来鑑賞されてきたように、たんに雲雀野を見下ろす峠の長閑《のどか》さをうたった句ではあるまい。思い人と精神の桃源郷にくつろぐ、いのちのよろこびにあふれている。恋雲雀よりも高空に、二頭の蝶はあの世この世を栩栩然と舞い遊ぶ。恋の成就の宣言としても比類ない句である。

草臥《くたびれ》て宿《やど》かる比《ころ》や藤の花　『笈の小文』

非凡な感性の美青年と愛を交しつつゆく春の羇旅《きりょ》に、芭蕉は満ちたり、たましいはどんなに潤っただろう。「草臥て」に千鈞《せんきん》の価値がある。今宵の臥所《ふしど》が藤の花房の奥に控える。芳《かぐわ》しい恋を迎える長藤のゆらぎである。

起《おき》あがる菊ほのか也《なり》水のあと　『続虚栗《みなしぐり》』

何とも優艶な句。清楚な野菊に思い人のしぐさをダブルイメージし、恋をにじませる。極上のエロティシズムが漂う。だが、この世のよろこびはつるべ落としだ。杜国は夭折する。

凩《こがらし》に匂《にほ》ひやつけし帰《かへり》花《ばな》

『後の旅』

逝去翌年の詠草は、杜国のうつしみの美を、かえってなまなましく感じさせはしないだろうか。吹きすさぶ風に一瞬揉まれる白い花は、凩に匂いを付けることなど叶《かな》わぬ。恋はいつも徒労だ。思っても詮ないひとに焦がれる。この世にいない、いくら待っても現れないひとに。冬麗《とうれい》に狂い咲いた花が、落葉を吹きあげる風に身を揉むさまは、あのときのあのひとの匂いを、肌の底に刻むように蘇らせる。

　恋は自我の足場を揺るがし、根こそぎ攫《さら》おうとする。恋とはつよい自覚をもつ狂気だ。芸術のミューズは、狂おしく揺らぐものに微笑む。

＊芭蕉、蕪村、一茶ほか近世以前の韻文は文中に記載のある場合を除き基本的に左記の文献より引用した。

『古事記　祝詞』倉野憲司、武田祐吉校注、日本古典文学大系一、岩波書店、一九五八年

『万葉集一』高木市之助、五味智英、大野晋校注、日本古典文学大系四、岩波書店、一九五七年

『万葉集三』高木市之助、五味智英、大野晋校注、日本古典文学大系六、岩波書店、一九六〇年

『古今和歌集』佐伯梅友校注、日本古典文学大系八、岩波書店、一九五八年

『新古今和歌集』久松潜一、山崎敏夫、後藤重郎校注、日本古典文学大系二八、岩波書店、一九五八年

『神楽歌　催馬楽　梁塵秘抄　閑吟集』臼田甚五郎、新間進一校注・訳、日本古典文学全集二五、小学館、一九七六年

『連歌論集　能楽論集　俳論集』伊地知鐵男、表章、栗山理一校注・訳、日本古典文学全集五一、小学館、一九七三年

『松尾芭蕉集１』井本農一、堀信夫注解、新編日本古典文学全集七〇、小学館、一九九五年

『松尾芭蕉集２』井本農一、堀信夫注解、新編日本古典文学全集七一、小学館、一九九七年

『芭蕉七部集』上野洋三著、岩波書店、一九九二年

『蕪村全集一　発句』尾形仂、森田蘭校注、講談社、一九九二年

『蕪村俳句集』尾形仂校注、岩波文庫、一九八九年

『一茶俳句集』丸山一彦校注、岩波文庫、一九九〇年

『日本名句集成』飯田龍太ほか編、学燈社、一九九一年

第一章　心身と遊

I　身幅の思い

北斎の切抜絵

初めてのことが若い日は楽しい。水屋でいそいそと茶盌《ちゃわん》をゆすいでいた、鼻歌まで出そうに。そこへお茶のお師匠さんがやってきた。

「鍋釜を洗っているんじゃありませんよ」

ステンレス製の鍋が消耗品で、泥をこねてつくった茶盌が何百年も伝わる。こうした逆転現象はめずらしいことではない。井戸茶盌や三島や粉引《こひき》など、朝鮮半島で焼かれた高麗茶盌はもともと芸術品ではなかった。庶民が汁やナムルをよそってぱくついたどんぶり、日常食器だった。それが室町末期の日利きに拾われ、銘を得て伝世し、茶の湯の名物になったのである。

かたや、日本の庶民が暮らしのなかで愛翫《あいがん》したあまり、ほとんど往生を遂げてなくなってしまった国宝級の美術品がある。歴史上、庶民階級が初めて美術のパトロンになった江戸時代の浮世絵である。

ボストン美術館所蔵の北斎が上野の森に里帰りした（二〇一四年秋）。摺《す》りも保存も一級品の北斎がこれほど揃うことは滅多にない。展示品の九割方は、日本人にはなじみのないビゲロー博士（一八五〇～一九二六）の蒐集という。ボストン美術館の日本美術コレクションは世界有数で、モース、フェノロサ、岡倉天心の功績が大きいことはつとに知られてきた。しかし意外にも、これら三羽烏は浮世絵にたいしては見る目がなかったという。同展図録には、こうある。

当時の日本の有識者たちに追随し、浮世絵は下層階級の低俗な美術であり学術的な研究には値しないとして低く見下し（中略）（ビゲローだけが――恩田注）仲間たちの非難、あるいは少なくとも無関心に直面しようとも、大衆芸術に対する自分の愛情を主張し続ける強い意志を持った人であった。

（セーラ・E・トンプソン）

浮世絵が消耗品さながらこの世から消失しかねなかった運命を、ビゲロー博士が救ってくれたというのである。とはいえ、日本の風景画がアメリカのものになってしまった哀惜と、北斎が世界の大芸術家になって里帰りしたうれしさとがいっしょくたになって、朝から押すな押すなの行列になった。わたしもよろこび勇んで、しっぽに加わった。

葛飾北斎は宝暦十（一七六〇）年、本所割下水《ほんじょわりげすい》に生まれた。

萍《うきくさ》の花より低き通りかな　一茶『享和句帖』

北斎より三歳年少の小林一茶が、水郷《すいごう》ともいうべき北斎の生地を活写している。北斎の生時は下総《しもうさ》とよばれ、のちに武蔵国に属することになるこの国境《くにざかい》の低湿地は、下級武士や一茶のような農村からの流れ者など、うだつの上がらぬ平民の吹きだまりの町であった。北斎長じての、風吹きわたる諸国行脚、驚くべき人間通の下地は、この隅田川のほとり、湿潤な下町によってはぐくまれたのである。江戸の庶民に愛された下位文化《サブカルチャー》の浮世絵は、先の三羽烏ならずとも、明治期の日本では芸術として評価する人は皆無だった。

北斎の死（嘉永二〔一八四九〕年）より八年前、江戸に生まれた飯島虚心《きょしん》は奇特なひとである。「翁死して僅《わずか》に四十余年の今日、其の墓前に、一炷《いっちゅう》の烟なし。嗚呼悲哉《ああかなしいかな》」と、北斎を鑽仰《さんぎょう》し、『葛飾北斎伝』（明治二十六〔一八九三〕年刊）を著す決意をする。その成果がいま岩波文庫で読めるのはありがたい。同伝によれば北斎は十四、五歳で木版の彫師としての修行を始め、同時期に貸本屋の小僧にもなって、暇さえあれば貸本の画をみては模写し、画道に志したという。貸本屋はいまの図書館に相当しよう。利発な少年が読み耽った古今東西の書の数は尋常ではなかったにちがいない。和漢の古典籍はじめ、戯作文学も春本も、吸い取り紙のような柔らかい心身に染み入り、九十歳までの七十年間、北斎が自己を更新し続け、描き続けるための大いなる燃料となっていったのである。

十八歳で版木彫りを辞め、浮世絵師の勝川春章に入門した北斎は、勝川春朗を名乗り、三十五歳までの長い習作時代に入った。やや生硬だが、品格のある役者絵や、西洋の遠近法や明暗法を積極的に取り入れた浮絵《うきえ》は、美術館内の行列がとろりと進むたびにゆっくりと滋味をまし、われらが北斎に近づいてゆく。文化中期、北斎四十八歳から五十三歳の壮年期のコーナーにさしかかった。

「えっ！」

思わず声が出てしまった。「しんはんくみあげとうろふゑ」という初見のもの。からだの底から、いいようのないなつかしさがこみ上げた。

幼いころ昭和三十年代が浮かび上がる。十円玉を握りしめ、ぬかるみや水たまりをぴょんぴょん跳び越えながら駄菓子屋へ急いだものだ。コッペパン、ぽんせんべい、フーセンガム、メンコ、ビー玉、写し絵、その横にお目当てがならんでいる。

「ちょうだい」

店の奥から、たぽたぽ白い二の腕を揺らして、やさしいおばさんが出てくる。

「どっちがいい」

ぬり絵式か、カラー版か、訊いてくれる。いつも色つきのほうを指差す。真ん中にかわいい女の子が微笑んでいる。まわりに色とりどりのドレスが並んでピンクのハンドバッグや花束もある。肩に白い爪のついた洋服をハサミで切り抜き、その爪を人形の両肩に折り曲げて着替えさせてやるのだった。四つか五つの子は、人形を着せ替えながら人形の気分になってしまう。ピンクのワンピースをたどたどしく切り抜きながら、スカートがぱふぱふ風にふくらみそうでうっとりする。ハンドバッグの黒い線の蓋を開ければ、色のうず巻くビー玉や、花模様の匂い紙がつぎつぎに出てくるものと信じていた。

北斎の「組上絵《くみあげえ》」が、まさにこの切抜絵《きりぬきえ》だった。世界に、もうあと一点しかないという「天の岩戸神かぐらの図」は、岩戸の奥に太陽の赤い後光をまとったアマテラスが微笑んでいる。上半身が七センチほどのアマテラスは、初々しい少女のようにはにかんでいる。鈴と幣《ぬさ》を手にしたアメノウズメは、神話とちがって、やたらと別嬪《べっぴん》さん。サルタヒコは雄々しい。古式ゆかしい衣装をまとった雅楽奏者たちから、いましも笛の音が聞こえてきそう。時を告げる鶏や、焚火まである。なんと天の岩戸ときたら、春画にも腕をふるった北斎らしく、襞もこまやかな女陰そっくり。焚火を切り抜いて、その前に立たせたら、高千穂の古代の闇がひたひたと迫ってきそうだ。のりしろは浅い。わたしが遊んだ着せ替え人形の半分もない。これは子どものおもちゃではなさそうだ。大人が買って遊んだのだ。裏店《うらだな》の町民が天の岩戸を切り抜くときのウキウキした気分が手に取るように感じられた。

もう一つ、「浅草寺雷門」という組上絵が、ガラスケースのなかに再現して組み立てられてあった。着せ替え人形の女の子に相当するのは、犬を連れた二人の遊女である。雷門にぎゅうぎゅう詰めの老若男女の顔は生き生きとしてはちきれんばかり。目の前で数人がけんかをおっぱじめている。やっきになって止めに入る正直者がある。片方では、放し飼いの犬がしっぽを上げて見物している。顔をゆでダコのように怒張させた男が、組み敷いた男に下駄を振り上げ打擲《ちょうちゃく》する。この騒動の位置をちょっとだけずらせば、雷門の風神や雷神が門のあいだからはみ出しそうな老若男女をひき連れて、たちまち野次馬の頭領になる塩梅《あんばい》。

北斎の組上絵には、着せ替え人形にはない社会諷刺や諧謔がひそんでいる。とはいえ、絵を切り抜いて、身幅《みはば》ほどの畳の上に、人物や建物や道具を立たせる遊び方は同じである。二百年前のひとも、無邪気に切抜絵をちゃぶ台や膝の前に立たせて動かし、自分もそこにいる気になって遊び興じたにちがいない。幼い日の着せ替え人形のルーツがここにあったとは。北斎がいっぺんに身近なひとになった。

家に帰って『北斎』（大久保純一、岩波新書、二〇一二年）をみる。歌舞伎役者の着せ替え人形「新板七へんげ三階伊達の姿見」のカラー図版が載っている。こまかい髻《もとどり》や脇差しまで緻密に切り抜く芸当はとても子どもにはできない。ここにはもう美術と遊び道具の区別さえない。日本の美の特色に、用と美の混交がある。北斎の組上絵はその見本のよう。庶民のつましくもゆたかな身体的な遊びに、一級の美術がするりと溶けこんでしまっている。

愚かさの自覚

西洋の美術は、ものをみる視覚とそれを認識する頭脳によろこびをもたらす。ヨハネ福音書の「はじめに言《ことば》あり」が示すように、まず、ロゴスがある。では、日本ではどうだろう。「はじめに身《み》あり」ではなかろうか。あとから地味な顔をしてことばやロゴスがそろそろとついてくるのではなかろうか。茶の湯の道具も北斎の組上絵も、ロゴスより先に、まず手に取り肌にふれる楽しみがある。それはひとり北斎にとどまらない。鈴木春信《はるのぶ》といい、喜多川歌麿《うたまろ》といい、浮世絵はどれも頬摺《ほおず》りするほど近々と眺め入ってこそ、色つやにふるえる思いがする。いつも日本の美は、心とからだが一つとなったところに発しているのではなかろうか。

同時代人の一茶の俳句も、誰にも顧みられないささやかな身体感覚から生き生きと発想している。

門《かど》々《かど》の下駄の泥より春立《たち》ぬ　『七番日記』

どの家の前にも、雨上がりのぬかるんだ土に、下駄の歯形がおどっている。思い思いの野放図な足跡が、やわらかな春泥《しゅんでい》のひかりの質感とともに迫ってくる。浅くにぶい歯形は、ちびてすり切れた古下駄のもの。歩幅のみだれた歯形はあわてものの足取り。大小たがい違いのむつまじいそれは親子が手を引いて通ったしるし。人々の足元で軽やかな音をたてる下駄には、泥のしずくが残る。一茶もまた、下駄に泥をはねあげて、ようやく寒さのゆるんだ町をゆく。泥跡や泥はねという、とるに足りないものに、江戸庶民のいのちの躍動がこもる。立春を迎えるよろこびが、これほど身体化されたのは、作者の目線が低かったから。一茶は還暦になって、〈春立《はるたつ》や愚の上に又愚にかへる〉と詠《よ》む。愚かさの自覚が肚《はら》に落ちたひとのゆたかな俳句である。

涼風の曲りくねつて来たりけり　『七番日記』

高殿の欄干によれば、涼風はまっすぐ額をなぶり、髪を梳《と》きすかすことであろう。裏店《うらだな》住まいの一茶のところには、涼風は長い路地をぬけ、蚊柱《かばしら》をぬけ、夕顔棚《ゆうがおだな》の竹のほつれをぬけて、曲がりくねってやって来る。三つで母に死なれ、十五で江戸に出され、俳諧師として都で成功する夢も叶わず、ふるさとの柏原《かしわばら》に帰り着いてようやく妻を迎えられたのは五十二歳。晩年になっていた。曲りくねってやって来たのは涼風ならぬこのわしだよ。紆余曲折ばかりだったな。暑さのなかでふと感じる一陣の涼風は、やわらかに苦労人のふところに飛び込み、鳩尾《みずおち》まですすいでゆくようである。

うつくしや障子の穴の天の川　『七番日記』

季語は「天の川」で秋の句。「障子」は、ここでは冬の季語としては働いていない。五十一歳の一茶は夏から秋にかけて長野の門人宅で病を養っていた。「七夕病中」の前書がつく。ずいぶん涼しくなった。ひとりで虫の声を聞くともなしに聞いていると、夏の暑さと病に疲れた身は、ついうつらうつらとしてしまう。ひいやりした風が肩先に来て目が覚める。障子が破れて風にひらひらしている。障子穴の向こうはもうとっぷりと暮れている。穴をみたす闇に目が吸い込まれる。おや、無数の星がさんざめいているではないか。天の川が流れている。ああ、今夜は星祭りだった。彦星と織姫は鵲《かささぎ》の橋を渡って逢うのだろうか。星の川に脛を濡らして、尻はしょりして行けたらいいだろうな。わが家とて、障子を貼替える余裕はないが、貧乏もこんな宵《よい》はわるいもんじゃない。寝ながら星の恋を眺めていられるよ。障子の破《や》れ穴に銀河をのぞく一茶の風流は、身体化された綺想ともいえそうである。

こうして小さな俳句は身幅から広大な宇宙へ飛びたつ。

モネに余白があれば

二〇一四年冬、初めてわたしはパリに行った。ずっと原画にあこがれてきたので、仕事以外は連日美術館通いになる。オランジュリーのモネの部屋に入った。天窓のある楕円の広い部屋に、現実とみまがうほどの大きな池。睡蓮《すいれん》が季節と時を移ろわせながらぐるりの池に咲いている。日本の美術館でも何度かモネの睡蓮は見た。でも本場はスゴい。気を呑まれる。四囲の睡蓮に取り巻かれ、睡蓮の池しか見えなくなった。枝垂《しだ》れる柳の風のむこう、檸檬《れもん》のようにきらめき出す朝の睡蓮。水面を靄が覆《おお》い、あまやかな肌着の女のように昼下がりの日にまどろむ睡蓮。濃い夏の闇に呑み込まれてゆく吐息のような赤い睡蓮。柳のねじれる葉の先がやつれ枯れ、睡蓮にも逼《せま》る凋落《ちょうらく》の刻《とき》。夕焼けのアリアが聞こえる。画家は睡蓮の刻々の移ろいを色と形に、ゾラの長編小説さながらエネルギッシュに画面に定着してゆく。なんという豊饒さ。睡蓮のフルコースだ。やはりモネは偉大。寒さも感じず歩いてホテルに帰った。

が、それから。へんてこな体験をした。日が経つにつれ、あれほど大きかった絵が、思い出すたび縮んでゆく。まるで風船から空気が抜けるように。はたして、大きいことはいいことなのか。

モネは北斎らの浮世絵に代表されるジャポニスムの影響を受け、移ろう時の美を自家薬籠中のものにした。空と睡蓮と水の時々刻々の変化に意を用いて、あらゆる時間のなかの相を描き尽くそうとした。しかし、もしモネが東洋美術の真奥にある「余白」の美を知っていたら、どうなっただろうか。ジャポニスムの奥に、沈黙する筆の幽暗があるのを知っていたら。描き尽くすことに執着するモネの絵は近代の芸術家、モネの絵にとどまる。見るひとの胸中山水として、新たに変容して生き直されることはない。

では、北斎や一茶はどうか。表現したくてもできない余白を前に、小さく、弱く、愚かであることの自覚から筆を執ったのではなかろうか。日本精神が江戸後期に成熟し、下位《サブ》文化《カルチャー》とされていた庶民芸術が、一気に世界の芸術へ駈け上がっていった秘密は、西洋文明がそれまで対峙することがなかった「余白」にあるのかもしれない。小さく愚かな身幅の芸術が咲かせた妖しいまでの花々を、これからゆっくりとみていきたい。

II　北斎の「なりかわる」絵

白昼夢

石の広場で夢を見た。

天上から富士山の三幅対《さんぷくつい》が掛かっていた。寺の三尊像でいえば、真ん中が北斎の「神奈川《かながわ》沖浪裏《おきなみうら》」である。咆哮《ほうこう》するビッグ・ウェーブの奥に、雪のふりつむ富士山が静まりかえっている。両脇にひかえる二人の菩薩《ぼさつ》様は、そそりたつ「凱風快晴《がいふうかいせい》」と「山下白雨《さんかはくう》」の二枚の絵である。

大浪は牙のように、絢爛《けんらん》たる花のように、空を噛んでは小舟に迫る。舟は猛る波にもてあそばれる。豆粒のような舟人たちはとっくにかじを絶え、頭を低くして双手《もろて》で舷《ふなばた》にしがみつく。折り重なる波濤。切り立つ波の稜線。うねる紺碧の断面。砕ける飛沫《しぶき》。藍の袢纏《はんてん》を着た水夫《かこ》といっしょにわたしも大海原にもてあそばれる。うなじから背中に伝わる潮じめりは、底しれぬ闇の待つ板子一枚下の地獄の冷たさか。船底にひれ伏した額をかろうじて上げれば、薄墨《うすずみ》の空。いちめんの水玉。

羽のように黒い服が石段から軽やかに降りて、止まった。

「マダム・オンダ」

大きなひとが背をかがめ、わたしの顔を覗きこんで微笑む。

「ムッシュ・ヤン」

やわらかそうな髭に埋もれた、なんてやさしい青い眼《め》。

「ギフトデス。マリコサン、ヨロシクト」

「メルシー、メルシーボクー」

無帽で、お臍の丈しかない革ジャンにジーンズのわたしは、メトロからグラン・パレの前に出て、五分もたたずに芯まで凍えた。歩道の隅のわずかな土に黄をとどめている大きなマロニエ落葉を見たのが最後、きーんと冷えた頭はすうっと白昼夢にトリップしたのだった。

日本を発って慌ただしい打ち合わせのあとコレージュ・ド・フランスで口火を切り、リヨン第三大学、エクス・マルセイユ大学、最後にパリ日本文化会館と、ささやかな講演をした十日間が過ぎて聖夜《ノエル》が来た。やっと好きな美術館に行けると意気込んだ。ところが北斎展は、チケットを買うだけで三時間待ちという。緯度なら択捉島《えとろふとう》より三度も高いパリの真冬。前回のフランス講演の滞在時に通訳としてお世話になり、たちまち友人になった佐藤麻里子さんが秘策を授けてくれた。パートナーの彫刻家 Jan Tesar《ヤン・テサール》さんにたのんで、「芸術家フリーパス」という文化立国の魔法の杖で窮地を救ってくださったのだ。ヤンさんから贈られた、一羽の鶏が天を仰ぐチケットをたなごころに押し包む。

北斎画が待つ館内に入った。外の長蛇の列がうそのようにゆったりとした展示室である。パリのメトロはどこも人種の坩堝《るつぼ》で、絵に描いたようなパリジャン、パリジェンヌは少数派。ところがここは、ハーフの子を連れた中国人のお母さんがとても目立つ。圧倒的な白人社会である。北斎漫画の部屋で、三人のマダムが頰を寄せて小さな本を楽しげに覗いている。なにかしら。蝸牛《かたつむり》が白い身を伸ばしている。ははーん。夕べわたしもいただいたエスカルゴとのご対面。マダムたちと目が合って笑った。

「日本から来ました」

「観光旅行なの？」

「仕事です。でも、終わりました」

　ろくすっぽ話せないフランス語ながら、「日本の北斎」という感傷は、もはや通用しないことを実感した。ゴッホやピカソのようにすでに「人類の北斎」なのだ。白昼夢でみたあの「浪裏」の前に立った。

　秋に上野にかかったボストン美術館所蔵の北斎展は、館内も大蛇の列で、摺り色のあまりの鮮やかさについ足を止めると、すかさず「進んで！」と後ろから注意されたものだ。ここには周りに静かな空気しかない。

憑りうつるからだ

　夢では気付かなかったことに気付く。幅三十八センチ、ちょうど身幅ほどの絵である。舟べりにしがみつく水夫たちの顔はみな両眼の黒い点だけ。いくら近寄っても表情はわからない。そこにこの絵の秘密がありそうだ。北斎は三艘の舟に白い月代《さかやき》を並べた舟人たちをありのままに写生しようとは思わなかった。大自然の猛威にひれ伏す男たちのからだのやわらかさと可憐さは、見ようによっては髑髏《どくろ》の群れのようでもある。富士山の見守るなか、生も死もいっしょくたに荒波に翻弄されている。あまつさえ作者自身が浪の谷間に揉まれている。揉まれながらいまも生きているのだ。

光陰矢の如くに、月日馳《は》して怠《おこた》らず、狂濤《きょうとう》し給ふ

（『児童文殊稚教訓』寛政十三酉正月元旦、時太郎可候述画〔北斎の戯作名〕）

北斎の文章がふいに浮かんだ。

「怠らず、狂濤したまふ、したまふ……」

時間にも天体の運行にも敬語を使わずにはいられなかった画狂人の祈りが、波濤になって落ちかかる。北斎は、まどかな微笑みをたたえるほとけ様の代わりに、猛る浪間の奥の富士をもって真如《しんにょ》としたのだ。「神奈川沖浪裏」の時間と空間は、絵に向かう者の心身に浸みいり、うねりくねって渦巻き、吼《ほ》え叫んでは生き続ける。日月に騎《の》って、狂濤し疾走し続ける。

一方、本尊の両脇侍《りょうわきじ》にあたる「凱風快晴」と「山下白雨」には、ひとっこひとり、生き物のかげもない。まさに聖なる富士である。この三役をわたしは真諦《しんたい》の富士と呼んでみたい。他の何十景の絵は、親しみやすい俗諦《ぞくたい》の富士というのがふさわしかろう。「浪裏」をことに本尊と思うのは、宇宙の真諦に、ふたたび水夫たちのやわらかなからだという俗諦が融合し、観るひとの心身に憑《の》りうつり生成してやまないから。これは浄土教の弥陀の四十八願に、往《おう》相《そう》と還相《げんそう》という二通りの回向《えこう》があることを思い出させる。往相は衆生の浄土への往生を願い、

還相は、極楽往生を遂げたものがもう一度俗世に還って衆生を仏道にみちびく。この絵は富士山という真如にゆきっぱなしにならない。海波にもてあそばれる俗世に還って畏れをともにする。まさに往相と還相、ふたつの願いを兼ねそなえ、一体化している。

北斎の浮世絵はルーブル美術館に居並ぶ大作と比べたら、どれも吹けば飛ぶようなミニチュアサイズである。オランジュリー美術館のモネの睡蓮と比べたら、一輪の睡蓮ほどのサイズしかない。しかし、そこには汲めども尽きぬ人間のしんじつが宿って、見るたびに、思い出すたびに大きくなる。それこそが「人類の北斎」たる由縁なのだろう。

なりかわる心身

北斎の生きた江戸時代が、士農工商の身分制度にがんじがらめのたんなる封建社会ではなかったことは、芳賀徹の労作『文明としての徳川日本』（中央公論社、一九九三年）によっても明らかにされた。芳賀によれば、この二百六十年の平和によって文化が躍動し爛熟した時代は、ローマ時代約二百年の平和をいうパクス・ロマーナに倣って、パクス・トクガワーナと呼ばれる。その自由闊達な時代精神はひとり北斎にとどまらない。北斎が二十三歳のときに六十七歳で没した蕪村にも、スケールの大きな綺想の俳句がある。

稲づまや浪もてゆ（結）へる秋津しま（島）

秋の夜の稲光に一瞬照らされ、海原に日本列島の輪郭が浮かび上がる。大八洲《おおやしま》をつなぎあわせるのは、海浜にうち寄せて千々に砕ける波頭である。夜の闇より暗いぬばたまの海と、雷光に散るしろがねの浪飛沫《なみしぶき》。「浪もてゆへる」の措辞は、虚実のあいだに詩があることを告げている。稲妻は、稲の花に交尾《つる》んで穂を稔らせる稲の夫《つま》を意味し、いなつるびともいう。豊作を予祝する季語で、本書第三章で述べることになる「興《きょう》」の詞《ことば》でもある。天地のまぐわいを暗示する放電現象に、直線と曲線、極大と極微とが交響する。そこに浮かび上がる花綵《かさい》列島は、もはや地勢というより、闇にほの白く弓なりに身をそらせる女身さながらである。この句から女体幻想を消し去ることはできまい。そこに豊葦原《とよあしはら》の瑞穂《みずほ》の国の豊穣への祈りが合体している。雷と海と地の織りなす凄艶《せいえん》なエロティシズムに、稲作民族のはるかな呪言を隠喩（興）として結晶した十七音である。

　このように江戸中後期の鴻才《こうさい》、蕪村と北斎には、表現媒体こそちがえ、大いなる共通点をみてとることができる。知性よりも身体感覚を刺戟する綺想と、極小の表現体《エクリチュール》のなかに畳みこまれた宇宙とが通い合っているのである。

　北斎を、見る絵ではなく「なりかわる」絵だとつくづく感じる一枚に「青山圓座松《あおやまえんざまつ》」がある。富士山の伸びやかな稜線と、つまみ上げたようなおちょぼ口を仰いだあと、ひとりでに目が吸われてゆくのは、画面右下の菅笠をかぶった童《わらべ》である。朱い兵児帯《へこおび》を蝶のように揺らして、父と坂道をのぼってゆく。この児《こ》のはやる気持ちと富士山へのあこがれが、この絵をおどらせている。

「富士さん、綿帽子をかぶっているね」と父が指差す。子どもはうれしくてたまらない。裾にはいちめんの春霞がたなびき、町民が円座松を背に筵《むしろ》の上で宴《うたげ》を始めている。「まあ、おひとつ」と朱杯をすすめるやわらかな物腰の影に、朱のふろしきに包まれた重箱がみえる。そこには色とりどりの山海の幸《さち》が詰まっているのだろう。脇に控える丁稚《でっち》の団子っ鼻さえも日永《ひなが》の風物のひとつである。ちなみに、もしこの童子がいなければ絵はどうなろうか。こころみに笠を指で隠してみよう。とたんに、画面からさあっと熱が引き、よそよそしい作り事めいた景色になることがわかる。居ながらにしてなつかしい春興《しゅんきょう》の白昼に誘《いざな》ってくれるのは、この子のはずむ足取りとかわいい笠にほかならない。

「神奈川沖浪裏」では顔をあずき粒に、ここでは笠で隠すことで、見るものの感情を絵の中に誘い込む。それと気づかせぬ感情移入の手法である。北斎画と能面とは、いうなれば紙の表裏のようだ。北斎の絵の人物は、ちょうど能面が演者の肉体を待つように、そこに憑りうつる思いを待っている。わたしたちは、いつの間にか菅笠をかぶった童子になって風景を眺め、父に手を引かれてうららかな霞の端を踏み、のんびりとした安らぎに包まれる。そう、ひとりでにこの子の気持ちになりかわっているのだ。

　登場人物に「なりかわる」のは、なにもこの絵にかぎったことではない。「御厩川岸《おんまやがし》より両国橋夕陽見《せきようをみる》」「甲州三嶌越《こうしゅうみしまごえ》」「駿州江尻《すんしゅうえじり》」はじめ枚挙にいとまがない。してみると、後ろ向きの人物も同じような共感《エンパシー》の効果をもたらしていることがわかる。

『冨嶽三十六景』は、西欧の王侯貴族の邸宅や美術館の壁に掛けて鑑賞するものではなく、庶民が茶の間で手に取って、頬摺りするような近さで親しむもの。じっさい江戸の町民も、江戸土産として味わった全国の庶民も、「わたしの絵」として、抱きしめんばかりに眺め入ったにちがいない。北斎は「見る絵」ではない。共感して画中に入り込んでくれるひとを待つ「なりかわる絵」なのである。理性で理解するのではなく、体感のリアリティをともに楽しむ絵なのだ。それは北斎が、描こうとする人物を外から写生したのではなく、人物の内側から絵をみつめ、一枚の絵のなかに生き切った証しでもある。北斎の古今独歩がそこにあろう。

北斎・蕪村にみられる時空の入れ子

北斎の「圓座松」のほとりのなつかしさや安らぎに相当する蕪村の句をあげ出したら、これもきりがない。〈春雨やものがたりゆく蓑と傘〉も捨てがたいが、心象の深さという点では次をあげたい。

遅き日のつもりて遠きむかし哉

「懐旧」の前書がある。「遅き日」は春の季語で、遅日《ちじつ》とも、暮れかぬるともいう。水絵の具を溶かしたような空に、蕗《ふき》の薹《とう》や土筆《つくし》が摘む人もなく伸びほほけてゆく。春のひと日の永さ。ひとり所在なく思い出に耽れば、還暦になったわが身一つの来《こ》し方さえ、果てしもなく思い出される。いったい太古からどれほど暮れ泥《なず》む日が繰り返されてきたことだろう。「つもりて」は近松門左衛門いうところの「虚実皮膜《きょじつひにく》」の措辞である。遅々たる日はかぎりもなく重なって、いつしらず雪のように霏々《ひひ》と降りつもってゆく。蕪村特有の深い幻視に誘いこまれる。心象のかよう先行句に、芭蕉の〈京にても京なつかしやほととぎす〉が思い浮かぶが、蕪村の句はいっそう象徴の純度が高い。

そういえば、屏風も、着物も、扇も、わたしたちは畳んで仕舞う。日本の山河も、また来る春に淡冶《たんや》として笑うために、山襞を寄せるように畳んで冬を迎える。畳むとは、ほほえみをしのばせるさようならであろうか。もしかしたらわたしたちの時間は、不可逆の直線として進む一方で、入れ子構造をなしていて、どこかに畳まれているのではないかしら。掲句を一読したときの不思議な肌合いは、あるいはその時間の底なしの入れ子に、ひとりでに吸い込まれてたゆたう無限感にあるのかもしれない。

浮世絵師北斎にあっては、時間の入れ子は空間の入れ子となって『冨嶽三十六景』のいたるところに潜んでいる。ほとんど北斎の思想といっていいほどに。それはじゅうぶんに咀嚼され血肉化されて、絵のいのちそのものになっている。

「圓座松」にも入れ子はあるが、ここではいっそう不思議な入れ子構造を展開する「五百らかん寺さざゐどう」を見てみよう。西洋絵画から取り入れた遠近法が強調され、登場人物は中央の奥に控える富士山を思い思いに眺めている。つまり、九人の男女の配置は、富士にむかう大きな入れ子構造をなし、入れ子の中心にうつつの富士山が鎮座する構えである。また、浪のような九人の頭や足先の部分部分をつなぐと、そこここに富士山の相似形が出現し、裾《すそ》の入れ子を構成する。これはまるで大乗仏典の一つ『華厳経』に説かれる「一即多、多即一」の蓮華蔵世界を具現化した絵、逆絵解きのようでもある。右手奥の平凡な山並にも、富士のミニチュアを思わせる山がほほえんでいる。いたるところに真如はありますよ、とでもいうかのように。

　登場人物がそれぞれやわらかな背中を見せて佇《たたず》むなかに、ただひとり富士山に背を向けているものがある。右手の隅に、笈《おい》を下ろして疲れを癒やしている、いまならアイドルになりそうなうら若い女性の巡礼である。この可憐な妻をいたわるように、巡礼の夫がやさしく対座している。女性の伸ばした左手はよく見ると、なだらかな富士の稜線の雛形をなしている。〈恋ひ人は雲の上なるおふじさんはれて逢ふ日は雪のはだ見る〉と、江戸中期に駿河の原《はら》に住まいした白隠《はくいん》さんも、画賛で富士山を親しい女性になぞらえて呼びかけたものだ。北斎の絵のうら若い巡礼は、わたしたちの手の届くすぐそこにいて、ほほえみを返す身近な「おふじさん」なのであろう。

　こうして富士山は世相の百態に溶けこみ、ありとあらゆる場所に変幻して姿を現す。入れ子としての世界はじつに融通《ゆうずう》無碍《むげ》である。北斎は色と線の巧みさを誇る職人的絵描きではない。深い思想をそれと感じさせず、やさしく面白い画面に生きたかたちとして造り上げた偉人である。

　こうして北斎が「なりかわる」絵であり、自在な「入れ子構造」を持つことをみてきた。ここからは、入れ子としてなりかわり合う動態の世界、生成する関係性に開かれた世界が、すなわち俳句のこころでもあることを、ともにさぐっていこう。

III　二十世紀思想家の時間論

白鷺の着地

　白鷺《しらさぎ》が安倍川の広い空を舞っている。春の日永の空のかなたに、富士山だけがいちはやくほのかな夕映えを帯びて浮かんでいる。その鴇色《ときいろ》の肌を背に、やわらかなはばたきが水浅葱《みずあさぎ》の空を近づいてきたかと思うや、十間《じっけん》ほど先、堤の若草の上にふうわりと着地した。なでしこの花のような繊細な切れ込みをもつ両の風切り羽は、たちまち真っ白な糸巻きの容《かたち》にすうっと吸い込まれた。それはゆるやかで引き緊《し》まった時間の姿である。白鷺は時の流れにひたりと身を添わせる。そう、時の流れに置き去りになるのは、ひとのこころだけかもしれない。

　静岡の山住まいなので、梅がほころべば鶯《うぐいす》の初音がいまかいまかと待たれる。ケッ、ケキョ。虫がのどにつっかえたような声は、二、三日で花びらのようにうるおう。

「萱草《かんぞう》の芽が川岸に生えていますよ」

摘草《つみくさ》をうながされる。前山にひともとの桜がほころべば、

「お花見に来ませんか」

玉をころがすような声が誘う。卯の花が小川にしなだれるころには、谷渡りの長い息が尾を曳く。ホウイー、ピーチャチャチャッ、チュピチュピチュッチュッ、キョッキョキョキョキョキョキョー。絢爛とはこのこと。鬱蒼とした茂り山は倍音の谷になって反響する。それは狂《きょう》鶯《おう》の名に恥じない渾身の息である。天地を素手素足で生きる草木虫魚には一瞬の懈怠《けたい》もない。

ひとはどうか。たまさか時を忘れてよろこび、たまさか仕事に集中できたとしても、こころは春の小川がひかりをはじくようにサラサラとはゆかない。外からはことばの刃を突き立てられる。恋するひととは微笑みも交わさず生き別れる。肉親には早く死なれる。心底願い求めたものはついぞ手にすることはできない。病と老いと死の恐怖が冷たい影をさす。破れそうなこころは、背中に食い込んでくる荷から逃れたくなる。または頬かむりして踞《うずくま》る。時間のぐちゃぐちゃとぬかるむ袋小路に。

日が上り、月が沈み、北斗七星が回る天体の運行と、小さなこころの間に時差ができる。こころになんの時差もないのは赤ん坊ばかりだろう。

涙が白鷺のように着地できたらいい。

丸山眞男——日本神話の「なる」時間

優美でときに鋭くもある鳥の時間へのあこがれは尽きない。あこがれはあこがれとして、白鷺のようには時間に膚接《ふせつ》できない人間が、この風土において、いかなる文化的な時間を展開してきたかをすこし考えてみたい。まず戦後思想家のなかから、丸山眞男と加藤周一に登場してもらい、日本文化の時間観がそれぞれどのようなものであったかを振り返ってみよう。

丸山眞男は、世界のさまざまな民族神話にある宇宙創成論（cosmogony）を見渡し、その発想の基底に流れているものを三つの範疇に分類してみせた。さらにそれを大胆にも日本語の基本動詞三つに析出したのである。すなわち、（イ）「つくる」、（ロ）「うむ」、（ハ）「なる」である。世界のさまざまな神話はこの三つのいずれかの範疇に属するというのである。

それぞれを宇宙創成論として命題化すると、つぎのような三つの「型」となる。（イ）われわれの住む世界と万物は人格的創造者によって一定の目的でつくられた。（ロ）それは神々の生殖行為でうまれた。（ハ）それは世界に内在する神秘的な霊力（たとえばメラネシア神話でいうmana）の作用で具現した。いうまでもなく特定の歴史的宗教や民族信仰の宇宙論を、この三つの型のいずれかに純粋かつ排他的に帰属させうるような場合はむしろ稀である。にもかかわらず、言葉としても、また命題化された形でも、実際上の重複を認めたうえで、ある民族、あるカルチュアにおいて、「つくる」「うむ」「なる」の三者のうち、なじみ易いものとなじみにくいものとの相対的比重を考察したり、相互の間の親和関係をみたりすることは可能なだけでなく、その民族なり、カルチュアなりの世界像の特徴をとらえるための重要な通路となるだろう。

（「歴史意識の「古層」」一九七二年発表、『丸山眞男集　第十巻』岩波書店、一九九六年所収）

そして『古事記』や『日本書紀』にみられる日本神話を「なる」の範疇に同定した。ならばイザナギ・イザナミの国産み神話である「うむ」はどうなろうか。丸山はそこにも「なる」の方向にひきこむ傾向があることを指摘する。そして、「なる」発想には「「つくる」論理におけるような、主体への問いと目的意識性とは鮮烈に現れない」（傍点恩田）という、日本文化の骨格を射抜く箴言《しんげん》を残した。すでにお気付きのように（イ）「つくる」の典型は、丸山によれば「ユダヤ＝キリスト教系列の世界創造神話である」。こうして、唯一絶対神の創造主を歴史意識の「古層」とするものの対極に、日本の神話の「なる」を位置づけたのである。

じつは丸山眞男は、この「なる」説をハナから自分で考えたわけではなかった。タネ本があった。本居宣長の『古事記伝』である。古語の「なる」を三つの意味に区分けした宣長説は出色である。それを取り上げながら、さらに英語で論理的にすじみちをつけ明快にする丸山も気が利いている。では、両人の「なる」説をここに整理してみよう。

宣長	眞男	
①無《なか》りし物の生《な》り出るを云ふ。所生	→be born	生《な》る　生《あ》る　現《あ》る
②此の物のかはりて彼の物に変化《なる》を云ふ	→be transformed	変化

③作事《なすこと》の成終るを云ふ　　→be completed　成る

では、この「なる」のイメージの源泉はいったいどこから来ているのだろうか。とうぜんそうした疑問が湧く。それに対し、丸山は次のように答える。

> この「古層」を通じてみた宇宙は、永遠不変なものが「在」る世界でもなければ、「無」へと運命づけられた世界でもなく、まさに不断に「成り成」る世界にほかならぬ。こうした「なる」の優位の原イメージとなったものは、おそらく、「ウマシアシカビヒコヂ」の「葦牙《あしかび》」が「萌《も》え騰《あが》る」景観であろう。この原イメージは、次項以下でのべる「つぎ」にも「いきほひ」にも貫徹している。有機物のおのずからなる発芽・生長・増殖のイメージとしての「なる」が「なりゆく」として歴史意識をも規定していることが、まさに問題なのである。
>
> （「歴史意識の「古層」」）

こうして、日本の歴史意識の「古層」に横たわる「なる」という発想の根幹に、「葦牙が萌え騰る景観」を据えてみせたのである。天地開闢《かいびゃく》の初発のイメージ「なる」を、葦の芽という水辺の植物の芽ぐみに発見した丸山は、さらに青葦の繁茂するさまに「つぎつぎになりゆくいきほひ」を重ねて発見していった。めざましい発見といえよう。

和辻哲郎の『風土』と雑草

ただ、ここで立ち止まって考えてみたいのは、和辻哲郎の名著『風土』のことである。丸山が二十一歳のとき出版され、それから三十七年後にこの「古層」論に取り組んでいる間に、論点の重なる和辻の先行論を丸山が意識しなかったとは考えにくい。そこで、わたしなぞはいささかさびしさを感じてしまうのである。日本と西欧の風土の最大の違いを「雑草」に見出した和辻の地に足ついた現実認識を、丸山眞男というアカデミズムが掬い上げ得なかったことを。和辻とて、みずから独自に「雑草」の存否に気付いたわけではなかった。昭和二（一九二七）年に文部省在外研究員として渡欧した船上で京都帝国大学農学部の大槻正男教授に教わったときの目の覚めるような思いを次のように感謝しているのである。

> この時に大槻教授は、「ヨーロッパには雑草がない」という驚くべき事実を教えてくれたのである。それは自分にはほとんど啓示に近いものであった。自分はそこからヨーロッパ的風土の特性をつかみ始めたのである。
>
> （和辻哲郎『風土――人間学的考察』岩波書店、一九四四年）

この身を揺るがすような驚愕を端緒として、和辻は農耕作業の安易な西洋の「牧場型」と、田草取りに追われる東洋の「モンスーン型」と、彼我《ひが》の生活と感情の違いをリアリティをもって説き起こしてゆくのである。

そこで、和辻と丸山のそれぞれの卓見を、菲才《ひさい》を顧みず、弥生時代からの稲作農耕民の立場から統合してみたい。

「葦牙が萌え騰る景観」は『古事記』という神話、それも文学の修辞としてはじつにすばらしい。「豊葦原水穂国《とよあしはらのみずほのくに》」という日本の古称もそこから来ている。しかし、日本人の歴史意識の「古層」に抜き難く沁み込んでいるものは美辞でも修辞でもなかろう。日々の生活体験であるはずだ。『古事記』成立よりはるかに歴史をさかのぼる稲作農耕とともに始まった「雑草」を抜く労働のあけくれこそ、「つぎつぎになりゆくいきほひ」との汗みずくのかかわりあいだったのではないか。水辺に葦が「つぎつぎになりゆくいきほひ」をどんなに誇ろうと困らない。いい屋根が葺《ふ》ける。ところが、稲田に雑草がいきおいよく生えこびたらそれこそお手上げである。日本人の時間と歴史意識の古層を形成してきた内実は、葦牙よりも雑草に、そしてそのすさまじいいきおいにあったはずだ。高温湿潤な日本の夏は、ほっておけば旬日のうちにそこらじゅうが青草の茂りと化す。

ちなみに狭庭も、三十年間一滴の消毒液も除草剤も撒かず、草刈りも怠慢のため、ジャングルになりかかっている。好物の青紫蘇《あおじそ》を摘みにゆくのさえエンヤコラ。雑草はお臍の丈で、朝露にぬれそぼつ。ふとした葉かげに殿さま蛙が待っていてくれるご褒美がある。いや、そんなこといっていられない。蛇に嚙まれる危険さえある。雀蜂だって珍しくないのだ。大方の日本人の勤勉さを育んできた要因の一つに、この雑草とのたたかいがあるのではないか。

わたしのような怠けものは青草のいきおいには到底かなわない。

茅屋《ぼうおく》は煤だらけの江戸天保期の民家である。ここに引っ越す話が決まったころ、先住のおばあちゃんと庭先でよもやま話をした。ハッとした。どんなに話に夢中になっていても、おばあちゃんの手は片時も休まない。草抜きをしているのである。そのまめやかさがあって、廂間《ひあわい》にはしっとりとやわらかな苔が一面に保たれていた。苔好きのわたしはうれしかった。いまは好きだけでは苔は保てないことが身にしみている。覇者は雑草である。手ごわい夏草にほとほと手を焼く風土から、自然を人間が支配できるという西欧的思考を傲慢と感じる心性も育まれてきたのだろう。それこそがわたしたち何千年の稲作農耕民のＤＮＡに刻まれてきた古層の心理ではないか。

丸山の高邁な学問の揚げ足取りをするつもりは毛頭ない。丸山の洞察の本領はパラダイムの転換にあるからだ。先述した「主体への問いと目的意識性とは鮮烈に現れない」という主体と目的があいまいな日本人の心性に重ねて、さらに丸山は、「なる」は「なりゆき」であり、「つぎつぎ」になりゆく無窮《むきゅう》の連続性が「「永遠者」の観念に代位する役割」を担ってきたと道破する。「つぎつぎになりゆくいきほひ」それ自体が一神教の神に代替する役割を担ってきたとは、目からウロコの指摘である。日本人のものごとをつきつめないなりゆきまかせを見抜いたあっぱれな批評眼である。

ここから第二次世界大戦の無残な侵略責任も、降伏の遅延による内外の大量殺戮の無責任も照射されてくる。さらに広島長崎の被爆の痛ましさに重ねて、自ら招いた二〇一一年の福島原発炉心溶融の人文的時間を超えた放射能汚染の事故責任も。国民総意の議題として多角的に検証し総括し、未来への長期的ヴィジョンを詳細に議論することなく、ずるずるあいまいななりゆきまかせにしてしまう日本人のうるわしくも和やかな体質を思うと、丸山眞男の明察が骨身にこたえてくるのである。

だが拙稿は、丸山の時間論を要約して紹介するためのものではない。ここからが本題である。丸山はこの「つぎつぎになりゆくいきほひ」の「時間的継起性の表象が芸術的形式にまで高められた代表的な例」を日本の絵巻物に発見したのである。

> 「つぎ」「つぎつぎ」という時間的継起性の表象が一種の「固定観念《イデー・フィクス》」となって、芸術的形式にまで高められた代表的な例として、日本の絵巻物、とくに、説話絵巻に表現されるような連続式絵巻を挙げることができよう。（「歴史意識の「古層」」）

あまつさえ「歴史意識の「古層」」論の掉尾《ちょうび》で、再度絵巻に言及していることにも注目したい。

> 「なりゆき」と「いきほひ」の範疇が、政治的態度において、一方では「今の世は今のみのりをかしこ」む（宣長）受動的服従の側面と、他方では「勢に乗じ」たエネルギッシュな、しかし「無二無三」の無目標な能動的実践の側面とを、ともに内包していたこ

とに対応している。この一見相反する態度が——あの絵巻物に象徴されるように——刻々の「いま」を中心とする一方向的な進行において世界をとらえる精神傾向によって奥底で結ばれているのを、あらためて指摘する必要はなかろう。

こうして、丸山は「巻子を右から左へ順次にくりひろげて行く一方的な方向性」を日本の絵巻の特徴であるとし、そこに日本人の時間意識を端的に象徴するものとして「一方通行」の空間表現を見たのである。絵巻物に日本人の「つぎつぎ」になりゆく無窮の連続性を見たことには、ほんとうに膝を打つ。しかし、絵巻物の表現している日本の時間についてはどうだろう。はたして「一方通行」なのであろうか。近代の知の巨人は、いつしらず西洋人の直線的な時間観念に染められていたのではないか。たしかにどの絵巻も右から左への一方通行で手繰《たぐ》りつつ見るという形式を持ってはいる。しかし、それはあくまでもフォーマットにすぎないのではなかろうか。丸山眞男への疑問が生まれてくるのである。

絵巻を見るひとは、映画やテレビやパソコン動画の観客でも、額縁に収まった西欧画の鑑賞者でもない。そうしたいわゆる近代人の観覧や鑑賞と、絵巻の見かた楽しみかたとは根本的にちがっていたのではないかとわたしは思う。絵巻をひもとく心性からしてまったく別のものに思える。いにしえ人は見る主体と見られる客体さえ、分けていなかったのではないか。膝前で身幅に絵巻を手繰って眺めるよろこびと興奮は、「一方通行」という取り澄ました形式性を平気ではみ出したにちがいない。

「一方通行」でしか見ないのは偏差値エリートの効率の良い観方に過ぎないのではなかろうか。そう思うのはみちくさ好きの劣等生のひがみだろうか。わたしなぞ、視線もこころも、絵巻の上を川のようにたゆたい、渦巻き、うねり、時には平気でさかのぼってしまう。あるいは一点に吸い込まれ、そこに長々ととどまるだけではなく、自由にそこから想像をひろげてしまう。時間は線的《リニアー》ではない。あらゆるところに花が咲く。あるいは断崖をなす。これはすでに丸山の揚げ足取りではない。絵巻を知的に理解するか、それとも全身全霊でうけとめて楽しむか、という人間の地盤の違いである。「一連の説話絵巻の最高傑作」として丸山が挙げる『伴大納言絵詞《ばんだいなごんえことば》』『信貴山縁起絵巻《しぎさんえんぎえまき》』など、十二、三世紀の絵巻黄金期の作物については後に具体的にみていきたい。

世界に誇る日本美術の雄である絵巻が、その表現のなかに日本文化の脊梁《せきりょう》をなす思想をいかに「一方通行」ではなく、やわらかく豊穣に溶かし込んできたかを後述しよう。さらに、一七世紀後半に芭蕉が俳諧の連句から、現在の俳句である発句を文学として止揚した、その俳句のけっして「一方通行」ではない時間の沃野にも遊んでみたいのである。

加藤周一の「自己完結」する時間

つぎにもうひとり、加藤周一の時間論もみてみよう。加藤は『日本文学史序説』（筑摩書房、一九七五年）で、日本文化の時間の特質が「今此処」にあることを強調した。さらに加藤は六十年にわたる評論活動の締めくくりとして、死の前年に『日本文化における時間と空間』（岩波書店、二〇〇七年）を著した。日本人の時間はどれも「今」に生きることの強調へ向かうことを再説したのである。同書で加藤は、日本文化には、

①始めなく終りない直線＝歴史的時間
②始めなく終りない円周上の循環＝日常的時間
③始めがあり終りがある人生の普遍的時間

という三つの時間があるとし、三つの時間のどれもが、「今」に生きることの強調へ向かうとした。日本人はそこで、ある場合には短く、ある場合には長い持続を「今」として意識し、ゴムひものように伸縮する「今」に生き、その収縮こそ、ひいては俳句の一瞬になるとしたのである。

また、日本語の特徴についても「客観的時間よりも主観的時間を強調し、過去・現在・未来を鋭く区別するよりも」、この三つの時間のどれもが「今」に生きることの強調へ向かうものであるとした。その上で芭蕉と俳句の時間について、このような総括をしてみせた。

> 芭蕉はまた一瞬の感覚を捉えるために、擬声語や畳語を利用し、言葉の超現実主義的な組み合せにまで到った。たとえば、
>
> ほろほろと山吹散るか滝の音
> あかあかと日はつれなくも秋の風

閑さや岩にしみ入る蟬の声

そこでは時間が停まっている。過去なく、未来なく、「今＝ここ」に、全世界が集約される。

芭蕉はそこまで行った。俳人の誰もがそこまで行ったのではない。しかし誰もが「今＝ここ」の印象に注意し、その時までのいきさつからは離れ、その後の成り行きも気にかけず、現在において自己完結的な印象の意味を、見定めようとしたのである。俳句は日本語の抒情詩の形式が歴史的に発展した最後の帰結である。今ではおそらく数十万人の人々が俳句でその「心」を表現しようとしている。さればこそ数百万の発行部数をもつ大新聞にも読者の俳句の欄がある。そのことの背景は、おそらく彼らが、少なくともその心情の一面において、現在の瞬間に生きているということであろう。

（『日本文化における時間と空間』）

こうして加藤は、日本文化の時間の特色を「今を生きることの強調」と「現在中心主義」にあるとし「現在に生き」「過去を水に流す」伝統文化として捉えたのである。わたしはここまではなんとか共感できる。

だが、さらに日本の時間の象徴を丸山と同じく絵巻物にみて、次のように述べていることについてはどうであろうか。

絵巻物は一場面を広げて見、見終った絵を巻いて、次の場面を広げるという操作をくり返しながら眺めるように出来ている。右手にはすでに見た部分が巻かれ、左手には未だ見ていない部分が巻かれていて、どちらも現在眼前にある場面とともに見ることはできない。現在は過去からも未来からも切り離されている。（中略）絵巻物は時間を構造化するのではなく、あたえられた任意の時点（における世界）の自己完結性を強調するのである。ここでは人が現在に生きる。（中略）絵巻物の背景に日本文化のある種の特徴を想像することができるだろう。時間の絵画的表現の日本における主要な手段は、絵巻物であり、絵巻物は現在を過去および未来から切離して独立に完成しようとする強い傾向をもつ。すなわち詩歌においても、音楽においても、著しい「今」の強調が、――別の言葉で言えば全体よりも「部分」への強い関心が、絵画の場合にもあらわれているのである。

（『日本文化における時間と空間』）

「現在中心主義」までは同意できる。しかし、「現在は過去からも未来からも切り離されている」とし、「あたえられた任意の時点における世界の自己完結性を強調する」という結論には異論をもつのである。日本文化や俳句における時間を、過去や未来から切り離された「自己完結性」という一方通行の凝縮力だけにみるわけにはいかないのである。「俳句は日本語の抒情詩の形式が歴史的に発展した最後の帰結である」との評価はありがたい。が、芭蕉の名句を称揚しながら、その俳句の「切れ」を「時間が停まっている」としたのは加藤のあきらかな誤読ではないだろうか。その誤解は、絵巻の解釈においても「現在は過去からも未来からも切り離されている」と、誤認の連鎖を引き起こしたのである。

俳句の「切れ」はけっして「時間が停まっている」場所ではない。逆に時間がゆたかに生成する泉なのである。絵巻の時間も、「現在は過去からも未来からも切り離されている」のではない。逆に現在は過去や未来とつながっていることを暗示している。後述するように、「切り離されている」どころか、万物が水平に横にはてしなくつながっているのが絵巻の思想なのである。

わたしには日本文化の時間の特徴が丸山のいう「一方通行」の凝縮や、加藤のいう「自己完結性」にあるとはとても思えない。むしろ、凝縮と完結と同時に実現されるひろやかな時空への開放に日本文化の志向があると思うのである。いまは手短に述べるが、完結と開放が手の甲と手の平という表裏の関係にあることこそ、日本の時間意識の特質であり、特異性であるといってみたいのである。

加藤周一が「そこでは時間が停まっている」といった芭蕉の名句、「閑さや岩にしみ入る蟬の声」の時間は、たしかに珠玉のように凝縮されている。しかし、「完結」というカプセル化した排他性とは無縁である。切れに畳みこまれた余白のゆたかさは、万人にひらかれた時間となって不断に変容を続けるのである。

「「今」ここの完結性」に日本の時間の特質をみた加藤周一は巻末で「脱出と超越」に言及し、さらにあとがきをこう締めくくった。ここに、加藤が洗礼をうけてクリスチャンとして死を迎えた思想の投影を感じるのはわたしだけではないのではないか。

> 「今＝ここ」の時空間に個人が満足できない場合には、その時空間を超越するどういう装置が考えられるだろうか。（中略）（時空間の超越装置には——恩田注）物理的超越と精神的超越がある。前者は亡命において完成する「脱出」である。後者は宗教的な神秘主義的体験において徹底する経験であり、日本では禅において典型的である。

たしかにいままで時空間の超越は、ある種の形而上学や宗教的神秘体験や禅の悟りを必要とすると考えられてきた。だが、はたしてそうであろうか。いつどこにいても、わたしたちの足元には、ぬくもりのある超越体験が待っているのではなかろうか。不測の人生を、悩み悲しみながら歩む人間が、狭い時空に閉ざされたこの身から脱出し超越する方法は、他者の思いを身に引きよせることではなかろうか。それは時空からの逃避ではない。むしろ新たな時空の創出である。生から死への時間とは、変わりつづける時間である。言い換えれば、自己更新を志すたゆみない途上である。万人に応答可能な俳句という詩も、他者になりかわり、ゆたかな感情のまま時空をささやかながら超越する装置のひとつとしてあるのではないか。

　ここまで、丸山眞男と加藤周一という知の巨人の時間論のエッセンスを紹介し、吹けば飛ぶような一俳人の身をかえりみず疑義を呈してきた。日本人の時間観は、前者のいう「一方通行」でも、後者のいう「自己完結性」でもないのではないかと、所思を述べた。そしてそれは、近現代の知の両雄ともいうべき丸山や加藤のような思想家や評論家の著作ではないところで、すでに絵巻や能や茶の湯や俳句としてゆたかに表現されてきたものであった。つまり、日本の思想哲学は、西洋のように論理としてあらたまって説かれるものではなかった。理性のみではなく、芸術や文学や習俗のなかに、感情やいのちと一体となって生き生きと表現されるものだったのである。では、そのことをさらにみていこう。

Ⅳ　いにしえ人の鼓舞

根源への一口

「井戸茶盌が欲しかったんです。静かな井戸です」
漆で何カ所か継いだ胴が、かえって、すっとした大井戸の景色になっている。お濃茶《こいちゃ》を練られるのは陶磁研究第一人者の林屋晴三《せいぞう》さんである。初めてお会いして、八十六歳とは思えない若さと、くりりと力のこもった眼《まなこ》に驚かされた。

林屋さんはふるさと京都で、十五にして茶の湯に魅入られたという。名物の茶盌をこの手に取ってみたい。利休とは、光悦とは、いったい何ものなのだろう。そうして初志は貫徹された。東京国立博物館に奉職し、茶入や茶盌や花入の名品を誰よりも数多く手にした。肌になじむ焼き物の土味《つちあじ》、釉《うわぐすり》の調子、姿《なり》の表情。それらが渾然として心身にしみ入ってくる塩《あん》梅《ばい》と、文献学上の資料とをつきあわせながら研究を体系づけていった。名盌の秘密に全身で迫ったのである。そこに「茶の湯ほど奥深い遊びはない」という思いが生まれた。桃山時代の茶会の真似ではなく、現代の風流の遊びの場として、新しみのある茶会を志すようになった。

　今日はその林屋さんの「今を問う」茶会である。北鎌倉は円覚寺の奥まった塔頭《たっちゅう》である。紫のふくさ捌《さば》きが始まった。すこしも武張《ぶば》ったところがない。水指《みずさし》から一杓の水を釜にそそぐ所作もじつにまろやか。茶入は黒ぐすりの古瀬戸《こせと》である。広口の牙蓋《げぶた》に細長い虫喰いの巣が入っている。巣のまんなかには、ぽつんと黒子《ほくろ》がある。背中のあかり障子を引いたら、いま一羽の鳶がこんなふうに秋空へ吸われてゆくところかもしれない。茶杓《ちゃしゃく》で抹茶をすくう。雄々しい櫂先《かいさき》にたちまち緑の奇峰が出現する。人寰《じんかん》はるかな仙境に、松を戴く高嶺《たかね》が顕れる。三、四、五杓、そそり立つきりぎし。八杓、九杓、まだまだ……十四、十五杓。緑の岩頭は茶盌の見込みに刷《は》かれてやわらかなくさむらをなす。と思うや、天空から湯と茶筅《ちゃせん》がやって来る。音もなく練られた煤竹《すすだけ》の穂先があざやかな緑糸《りょくし》をまとって引き抜かれると、たちまちなめらかな青苔になった。

「五人様で」

　正客がふくさに載せて一口喫するや、じんわり目もとがゆるんだ。滋味がほわわと波及する。身のほど知らず。次客に座らされていた。

「お先に」

三客にお辞儀をして、たなごころに茶盌を包む。大井戸茶盌でお濃茶をいただくのは、きっとこれが最初で最後かな。凡人はすぐ雑念が出る。小さい手ではつつみきれないのに、ふうわりしている。朝鮮の陶工のはつらつとした息づかいが来た。

バン！　轆轤《ろくろ》に土の塊を無造作に載せて、くったくなく引き上げてゆく。深くおおらかな呼吸が、数百年の時を超えてわが細胞まで波動をおこす。糸底から口縁部へ、陶胎《とうたい》の轆轤目は伸びやかに波打ち、飛び翔《た》とうとする鳥のようだ。林屋さんがたっぷりと点《た》ててくださった千年の松の緑を喫する。一盌の中心に向かって。

　と、はるかな奥に、遠い日の自分が座っているのがみえた。

「大海を呑吐《どんと》するのですよ」

……なつかしい茶の師匠の声が降った。生まれて初めて行った茶の湯の稽古で、膝前に出された抹茶に、へどもどしていたのだった。

　そうだ、海を呑むのだ。ようこそと地球がやわらかな手をひろげた。茶盌の中心に向かって緑の液体を啜《すす》る。いのちのみなもとのとろみ。夢のような三口。ふわあっと全身が根源に帰ってゆく。清らかな宇宙空間に開放されるかの感覚に包まれた。

　井戸茶盌は時をわたる渡り鳥なのか。茶の湯では、「一井戸、二楽、三唐津」という。

「やっと手に入りました。本願寺の大谷家の持ち物で、いいのがあると道具屋がいうので。何回かに頒けてね。銘は「慈童《じどう》」、いいですね」

大井戸は少年だった。能の「枕慈童」や「菊慈童」の妖精のようなほほえみが浮かぶ。広いまぶたにふっくらした三日月眉。色白の頬に笑窪をゆたかにへこませた能面である。茶盌の銘を能の曲名の「菊慈童」とせず、しずかな能面の「慈童」とした古人の美意識を思う。菊にまつわるいっさいの色香は消え、井戸茶盌はたちまち仙境の雲や霧の匂いをただよわせる。

此妙文《このみょうもん》を菊の葉に、置く滴りや露の身の、不老不死の薬となつて七百歳を送りぬる。汲む人も汲まざるも、延ぶるや千年《ちとせ》なるらん、おもしろの遊舞《ゆうぶ》やな。

（「菊慈童」、『謡曲全集　上』国民文庫刊行会、一九一一年所収）

洒々落々《しゃしゃらくらく》とした楽《がく》の音《ね》が聴こえる。中国古代の周王に仕えた慈童のおもかげ、菊に置いた露しずく、六百年前の李氏朝鮮の陶工のしなやかな指……。はるかな音楽が一盌《いちわん》にしずまっている。どんな船に載って、どこの港に上がったのか。阿弥陀信仰のお東《ひがし》さんに伝世《でんせい》して、ともに浄土を夢みてきたのだろうか。天下の大井戸茶盌は美術館のケースの中にある。「慈童」は眼の前にほほえむ。こころなしか青みがかった還元炎《かんげんえん》をまとって、うら若い腕《かいな》を広げている。薄づくりのかろやかな姿で、この童《こ》ははるかな時を超えてやって来た。一座はたったいま、「慈童」をたなごころに、宇宙に抱きとられるような服かげんを味わった。しかしもう、二度と同じように味わうことはないのだ。

床の間には、桃山時代のお公家さん、近衛三藐院《このえさんみゃくいん》が描いた布袋《ほてい》の絵が掛かっている。線描のほんのりした墨絵である。その白いやわらかな袋から、この童《こ》はたったいま出て来たところではないかしら。いえ、今日のために愛翫のお道具を取り合わせ、くつろいだ風情で少年のように笑う米寿の翁《おきな》こそ慈童なのかもしれない。

たなごころの宇宙

「掛花入《かけはないれ》は」

「古備前です。那須から友人の画家が採ってきてくれた大亀木《おおかめのき》です」

三角柱の斬新なフォルムが利休好《ごのみ》とはおどろく。硯のようなぬめっとした陶胎に、竹篦《たけべら》で窓がざっくり刳《く》り抜かれている。投げ込まれた大きな葉には、緋と朱の濃淡に、まだ緑の斑《ぶち》が残っている。秋の高原のひかりをそのまま手にするよう。照葉は完熟した黒い実を房状にかかげている。小鳥の眼を思わせるそれは初夏には清楚な花であった。新緑の峠を歩いていると、谷から涼しい風が吹きあがり、そこに紋白蝶がゆらゆらと群らがるような花がある。白い花をかこむ葉はやがて細やかな虫喰いだらけになってゆく。広葉は冬に向かって、空を透かす天然のレースのように身をやつすのである。それで別称を「むしかり」という。

「お茶杓は」

「織部です。銘は共筒《ともづつ》でトンサク。頓作《とんさく》だろうけど鈍作かもしれません。濁点をつけませんから」

亭主はへりくだったが、やはり頓作だろう。修行を要せず即座に道を悟る「頓悟《とんご》」の力が、細い竹の匙に徹《とお》っていた。櫂先の反りに時代がある。武将茶人古田織部の胆力をみるようだ。お道具拝見で手にすると、緻密な質感が胸に来た。武士《もののふ》の時代の緊張感はここにも通っている。茶の湯の道具は、見ただけではわからない。膝前に置いて手に取り、糸底の土を肌に味わい、ゆるやかに回し、土と釉の織りなす微妙な景色を愉しむところに醍醐味がある。それは水墨画の山水に遊ぶこころに似ている。近景は墨の筆がたっぷりと肥え、遠く枯痩《こそう》してゆく岨《そば》みちに分け入ってゆく。このとき、一盌を愛でるたなごころは逍遥遊の天地になる。

瀬戸の広口面取茶入《めんとりちゃいれ》はうっすらかかった鉄ぐすりが窯の火によく応えていた。高台際《こうだいぎわ》のワイン色の釉が靉靆《あいたい》と深い空の闇へ移ろってゆく。

ずいぶん昔になる。わたしはことばに倦み疲れていた。物心ついたときから、両親が不和で、ことばでジクジク傷つけあい、家庭にこころの置き場がなかった。ちょうど大学を卒業する年、父母は長い修羅に幕を引き離婚した。わたしは育った家を母と二人で出た。ことばからも出家したかった。ものいわない愚かな泥と火とに向き合ってしずかに生きようと思った。ふるさとの静岡で最も古い歴史を持つ志戸呂の茶陶作家を志した。作陶を小堀遠州の直系の故・本多利陶氏に師事し、二の腕がこんもりするまで土練りや轆轤に励んだ。先生のことばがよみがえる。

「どぼりと掛かった釉は民芸です。うっすらとして重厚な釉は茶陶です」

そのとおり。秋の星空から、ショパンの『夜想曲第二番変ホ長調』が降りてくるよう。さざなみ立つ泉のほとり、トレモロを踏む素足。夜気に透きとおる肌は、広口に面取の直線的な姿《なり》とは対蹠的なのである。そこにこの茶入の魅力がある。藤原行成筆の国宝『古今和歌集』の什物《じゅうもつ》で知られる天台密教の曼珠院伝来という。当代の目利きに選ばれた茶入である。

二盌目は古三島。見込みについた数カ所の「目跡《めあと》」が景色である。今では古三島といえば名盌だが、当時の朝鮮ではふだん使いの食器だった。とうぜん無造作に重ねて焼きあげることになる。そのとき、上下の茶盌の釉がひっつかないように耐火粘土のダンゴをいくつか置いた。目跡は釉薬のハゲ跡にすぎない。それを、日本の茶人が巧まざる紋様として賞美するようになった。実用目的が一足飛びに芸術になった。これは、はたらく工人たちの天の喜遊曲。

三盌目の黒楽は、十五代樂吉左衛門が襲名したときの初窯作品という。口の玉ぶち崩しに黒楽釉が波打って、月のない砂漠をゆく心地がする。闇に籠るひかりの粒子のささやきは、はるかに瀬戸の星月夜の茶入とよびかわす。取り合わせの妙である。

四盌目は、志野の鈴木藏。

「つかうほどに肌が良くなってきました」

もぐさ土に長石釉《ちょうせきゆう》のくったくない地肌は三十代の女盛りの肉置《ししおき》のようで、ハッとする。わけても目利きであった川端康成は、志野を「古武士のようだ」といった。そういいつつ奥に艶冶《えんや》なものを見ていた。胴体に刷《は》かれた鉄ぐすりの描線はなつかしい秋の野のようでもある。

背中の障子に十月の日がさす。丘の中腹に南面して建つ庵は明るい。ふと、今日の道具組は、庵内にある茶室の復元を祈ってのものでは、という思いがよぎった。かつて、書生時代の西田幾多郎と鈴木大拙が寝起きし、弟子の古田紹欽《しょうきん》も土蔵の漢籍を見に通ったという「楽々庵」が控えている。その小間に「慈童」を置いたら、またべつの表情をみせてくれることであろう。

茶の湯の師匠に逝かれてこの方、稽古から遠ざかってしまったものぐさが、お茶はいいなとしみじみ感じた。今日はなつかしい恩人とも同席できた。連理の枝のご主人が山行《さんこう》でとつぜん他界され、もともと小柄なのに一回り小さくなられていた細川さん。

「ちょうど今日、十月十日が結婚記念日なんです。よく主人とふたりで、この縁側でお茶を服《の》みながら景色を見させてもらいました。あまり調子はよくないですが、今日は主人の供養と思ってやってきました」

芦屋釜に練《ね》れた白湯《さゆ》のようにほほえまれた。ほそい肩を抱きしめたくなる。

炭火にかけた釜が沸《に》える。松風が聴こえる。この釜鳴りをさいしょに「松風」と呼んだひとを思う。ひとけのない浜辺に松の梢を蕭々《しょうしょう》とわたる風。沸えは底ごもったかと思うと、高まり、やがてゆったりとひそまる。古い茶釜の沸えにまさる楽《がく》の音《ね》をいまだ知らない。灰に抽象画さながら組まれた炭が熾《おこ》り、芦屋の釜を熱する。水は対流し、湯となり、蒸気となって虚空へ消える。こうして、わたしたちは地球の無心な音を居ながらにして味わっている。

お茶のよさは心身で味わう。茶の湯の空間は一座の感覚や深層の意識をいつしらず研ぎ澄ます。それは精神のしずかな昂揚である。茶室は視覚優位の認識の場ではない。あくまでもふれあいの場である。まず一盌をたなごころにする。そして接吻する。地球のいのちの根源を支える葉緑素とのくちづけである。このとき、唇は焼物の肌に吸い込まれたい。ざらついては百年の恋も醒める。

慈童のくちびるは一瞬、仙境の霧の匂いがした。心の底に響くのを、骨身にこたえる、身にしみるという。茶の湯は日常が異次元としずかに乗換《コレスポンダンス》する。暮らしの地続きに愉しむ茶の湯は、日本で成熟し、いまは世界中で受け入れられている。

亭主は一服の茶のために、何年も前から心をかたむけて席に臨む。いざなわれた客はまず床の間のかけ軸に亭主の心ばえを察する。使われる道具の取り合わせを愉しみ、お茶と季節の菓子を味わう。お道具を手に取り、主の思いに感応する。茶会が終わって一息ついたそのあとに、そこはかとなく薫る。何年立っても燻ゆる。それが茶人の風骨である。

薫りは五感も六感も超えたものに焚きしめられる。仏教の基本思想に四、五世紀のインドで生まれた唯識《ゆいしき》がある。唯識は、現実に即してめまぐるしくはたらく眼耳鼻舌身意《げんにびぜつしんい》という六識の底に、ふかぶかと横たわる第七末那識《まなしき》と第八阿頼耶識《あらやしき》という深層の意識をさぐりあてた。茶の湯では、この八識があやめもつかず融けあい、伝来や銘の時代と今とが交響して、一盌の茶を味わう。茶の湯の道具がガラス越しに鑑賞して足りるものなら、美術館長を歴任してこられた林屋晴三さんが、手ずから集める必要はどこにもないのである。

一週間前に行った京都の白川が思われた。紅葉がうすく色づき始めていた。川沿いは犬を散歩させる人とたまにゆき会うくらい。道具屋の拭き込まれたガラス戸を覗くと、奥に水指や花入、手前に色とりどりの干支の組紐細工が並んでいる。口切り茶壺の紐飾をアレンジした京風ストラップに、還暦を迎える友人の顔が浮かんだ。

「ちょっと見せてくださいな」

伊賀と思われる水指にも興味があった。

「茶陶はいかがですか。高齢社会でお蔵ごと売りに出されることが多いのではありませんか。ネットオークションもありますし。これからどうなるんでしょう」

「なんにも心配してまへん。本当の茶人は自分が育てたこれぞという弟子に道具を譲ります。作家さんのいいものはネットには出ません。ネットで買《こ》うて貫入《ニュウ》が入ってたらどないします。手に取ってはじめてわかるのが茶陶です。使われないものは残りまへん。オブジェを誰が家に飾っておきますか」

問わず語りに若主人は嘆いた。茶陶で名高い京焼の当代が、オブジェしか作らなくなったという。

「使われないものは残りまへん」

ひとことが耳に残った。茶の湯の道具はけっして裸でやりとりしない。桐箱に入れ、真田《さなだ》紐《ひも》を掛ける。箱書《はこがき》をする。茶入にいたっては、着せ替え人形のようにいくつも仕覆《しふく》を拵《こしら》える。「慈童」の銘に想像が広がったように、伝世品は、遠い時代の茶人や文人墨客の息がかかってきたことに価値がある。中国でも古い書画にはあまたの賛や落款《らっかん》が集い、ひとからひとへ長い時間を伝わった慈しみがこもる。東洋人はそうして古人と心を通わせてきた。

茶室で床の軸や茶道具を取り合わせ活かす美意識と、俳句という文芸はよく似ている。掛け軸は、俳句の「季語」に相当しよう。今日の茶会も、床にかかった布袋さんのあんこ腹から「慈童」が出て来た。星月夜の瀬戸の茶入も、アヴァンギャルドな利休の掛花入も出て来た。茶の道具は一つひとつが「天上天下唯我独尊」と、小さな手を上げながら、まわりを引き立て合ってのびのびと息をする。俳句も十七音という狭小のなかで、季語とことばを即《つ》かず離れず取り合わせる。一語一語がいかに生き生きとはたらいているかを味わう。

茶室の中で、わたしたちはお道具というはるかな時代の人たちのいのちに囲まれていた。それは死者とか祖先とかいうにはあまりにもなまなましく、心身をゆるがし感応し合う存在として一座を包み、一座を鼓舞していた。生きているいまは、過去や未来から切り離されてはいない。いまは自立できない。いまは流れゆく網のひと目である。ちょうど水面《みなも》に散ったさくらが、はらはらと吹き来る花びらとつぎつぎに新たな筏を組みながら、揺れて流れる限りない花筏《はないかだ》さながら。

古人は、時空を超えてわたしたちのいのちを揺るがしに来る。この世は死者との共同体である。
円覚寺の秋の茶会から二年後、肚から力のこもる声を出された林屋晴三さんのご訃音に接した。まつげの太いくりくりした大きな眼がよみがえる。茶の湯者は天上大風に吹かれ、慈童と遊んでおられはしないか。

V　日本の美と時間のパラドクス

日本の美と時間

古来、時間に関する箴言《しんげん》は数え切れない。西洋では紀元前五〇〇年前後にギリシャで思索したヘラクレイトスが「万物は流転する」といい、「同じ川に二度入ることはできない」といった。ほぼ同時代、東洋では釈尊が「諸行無常」を説き、孔子は「逝くものは斯くの如きか、昼夜を舎《お》かず」と語った。鴨長明が「ゆく河のながれはたえずして、しかもゝとの水にあらず」と嘆じたのは、それから約千七百年ものちのことである。

この世の事物が変わり続け、とどまるものはないという見きわめは、古今東西の人類に普遍的な認識であった。しかし、そこからみちびき出される時間のとらえ方や表現の仕方は、千差万別、百花繚乱というべきであろう。

日本文化における時間や俳句における時間を考えるとき、丸山眞男のように、「つぎつぎ」の「線的《リニアー》な継起性」と「一方向的に無限進行してゆく姿」の象徴的な時間的継起性の表象を絵巻物にみたり（「歴史意識の「古層」」）、加藤周一のように、過去や未来から切り離された「凝集力」と「自己完結性」を絵巻や俳句の時間にみたりするのは、いささか一面的ではなかろうかという疑義を、先の「Ⅲ　二十世紀思想家の時間論」で呈した。そしてむしろ、完結と開放が、手のひらの表裏の関係にあることこそ、日本の時間意識の特異性ではないかという卑見を述べた。

　線的《リニアー》や自己完結性とはまったく逆のはたらきをする、ゆたかでわりきれない日本の時間をこそ、問うてみたいのである。

　完結と開放がたなごころのうらおもてにある日本の時間を考察するために、すこし唐突ではあるが、二〇一三年に世界文化遺産に認定された富士山が日本文化史に果たしてきた役割を考えてみたい。

　富士山のご神体は、変幻してやまないさくらの精霊、木花之佐久夜毘賣《このはなのさくやひめ》である。いったいなぜ、崇高な富士山のご神体に、移ろう時間とはかない美を象徴するさくらの精を据えたのであろうか。

　八世紀初頭に成立した神話『古事記』と、そのほぼ二世紀後に成立したとされる『竹取物語』から日本人の美と時間の観念について愚考したい。

『古事記』によれば、邇邇芸命《ににぎのみこと》は木花之佐久夜毘賣と笠沙《かささ》の岬、いまの鹿児島県野間岬で出会い、ひとめで恋に落ちた。周知のように、父の大山津見神は、姉の石長《いわなが》比賣《ひめ》も添えて娶らせようとしたが、邇邇芸命はあまりの醜さにおどろき、姉だけを返してしまったという。こうして、石《いわ》を返し花を愛することにより、ミカドは死すべき時間的存在に「なる」のである。さらにこの海辺の花びらの素純な美は、たちまちにして妖艶、妖美へと変容を遂げる。一夜にしてミカドの子を妊《みごも》るのである。初夜の懐妊をあやしむ邇邇芸命に、佐久夜毘賣は「天つ神の御子ならば、幸《さき》からむ」と、潔く産屋《うぶや》に火を放つ。激しい情念の炎のなかから海幸彦、山幸彦を産みおとし、同時に身の潔白を証《あか》したのである。この劇的な神話のひとふしから、後の日本文化にも息づく特異な美と時間意識の萌芽を感じ取るのは、なにもわたしだけではないだろう。

古代人の詩的幻想は脈々と受け継がれてきた。いまも神話の隠喩（第三章で詳述する「興」）を思わせる祭りが年に一度繰り広げられる場所がある。それは、木花之佐久夜毘賣の火中の出産のアナロジーとして、産道をイメージする富士の裾の長い坂道に松明《たいまつ》を点す富士吉田の火祭りである。霊峰に向かって直登する一本道に松明の火が柱廊をなし、八月末の夜空を焦がす。日本三大奇祭の一つである。

大陸の中国には、秦の始皇帝が不死を願い、徐福とその一族郎党を舟に乗せ、東方海上の三神山に不死の仙薬を求めさせた伝説が残る。それは「諸行無常」の時間に対するあらがいを意味していよう。万里の長城によって蛮族の侵攻を封鎖しようとした皇帝の支配欲は、同時に時間の封鎖をも欲せずにはいなかったのである。

ひるがえってわが国ではどうだったろうか。九〜十世紀の作とされ、物語の御祖《みおや》と称される『竹取物語』の掉尾を思い起こしていただきたい。ミカドは、かぐや姫から贈られた不死の薬を、使いの者に命じて富士山の頂上で焼き捨てさせる。不死の仙薬と恋文のもえる煙が「いまだ雲の中へ立ちのぼるとぞ、いひ伝へたる」といって物語は幕を閉じる。死をもいとわぬ「もの思い」、すなわち遂げられぬ恋の勝利を告げて物語は終わるのである。これをどう考えればいいだろう。はかなさの詠嘆ではなく、むしろはかなさの肯定といえないだろうか。『竹取物語』の掉尾は永遠を遠ざけるばかりか、無常の時間の勝利を告げているのではなかろうか。ミカドが恋に死ぬはかなさを迷わず引き受けるこの結末は、先の『古事記』のさくらを愛するミカドと併せて、日本文化の源にある志向性を沈黙のうちに語っているのではないか。日本文化における時間の意味は、この二つの古典文学のなかに象徴的にたたえられているように思われる。

それはひいては富士山が、異界とこの世の時空の境界であり、接点であることも意味していよう。富士山は現実に仰ぐ山でありながら、同時に異界との接点をなす二重性を帯びた象徴的存在として日本の空に浮かんでいるのだ。しかも、それは盤石に見えて、大沢崩にあきらかなように絶え間ない崩落途上にある。霊峰富士の登拝を果たして須走口へ下山するひとは、一足一足がスコリア帯のかぎりない岩滓《がんさい》とともにずり落ちてゆく快感を味わうだろう。

こうして富士山は、標高の最高地点という地勢上の首位にとどまらず、日本文化史上においても、時空の特異点としての役割をひそかに連綿と担い続けてきたのである。晩年の北斎が『富嶽三十六景』や『富嶽百景』に渾身の情熱を注いだのも、富士講の信者ならずとも、俗世を超えた思いを富士山に投影していたからにほかならない。それゆえに富士山は、物理的な自然遺産ではなく、「信仰の対象と芸術の源泉」としての世界文化遺産なのである。

しかし、美は危険物でもある。さくらはいさぎよい散りぎわを称美され、「靖国の桜の下で逢おう」と、第二次世界大戦中は軍国主義に利用された。富士山も同じく大日本帝国の国家主義の象徴として利用され、東洋のあまたの同胞を殺傷する禍根を残した。日本人のある種センチメントな心性は権力のはなやかな扇動に弱いのである。さくらや富士の美しさに溺れて、歴史の意味を反芻しないのは退嬰である。美はいつも取りあつかい注意。健全な批判精神の涵養がなければ、歴史も文化もついに俯瞰することはできないのだろう。

こうして逆説的に、世上の最高権力と地勢上の最高峰とは、はかない美と時間のダブルイメージになった。はかなさや無常を美とし、いつくしむ精神は澄む水のように日本文化を脈々と潤してきた。現実と異界がなにげなくとけ合う二重性を帯びた感性は、いまも絶えず息づいている。たとえば村上春樹の主人公が、現実と異界とをふっとゆき来してみせるように。

したがって日本文化における時間観は不老不死に永遠があるのではなく、変わり続けていくことに永遠がある。西欧的な永遠の観念とは対照的な、変化し移ろうものにこそ永遠を見る日本人の感性がその根底にはあったのである。こうした内容をフランスで「日本の美と時間のパラドクス」と名付けて講演した（二〇一四年十二月、於リヨン第三大学・エクスマルセイユ大学・パリ日本文化会館）。そのとき、意外なことに、もっとも人気を博したのが、かぐや姫がミカドの求愛にやんわりと月光の肘鉄をくらわせるくだりであった。質疑応答で「かぐや姫大好きです」というホットな声が続出した。最初は、権威や権力に屈しない自由と個人主義のフランスならではの反応かしらと思った。いまは、『竹取物語』がもつ浪漫の宇宙的スケールのためではないかと思っている。それはつねにゴールのない途上であり、未完のひろびろとした時間なのである。

絵巻にみられる時空の入れ子

はかなさに永遠という時間の軸が踵《きびす》を接している。ではそれを空間の軸で考えたらどうなるだろう。もしかしたら、入れ子構造になるのではないか。ここでは新たに、日本の絵巻物に特徴的に表れている時間を取り上げて考えてみよう。

絵巻は膝前に手繰りながら楽しむものである。そのストーリーは丸山眞男がいったように一方通行の時間の進行にいちおうは沿ってゆく。だが、多様な鑑賞者の興味はそれに尽きないのである。

一例として十二世紀後半期の名品、『吉備大臣入唐絵巻《きびのおとどにっとうえまき》』（ボストン美術館所蔵）をみてみよう。絵巻の主人公は奈良時代の偉才、吉備真備《きびのまきび》である。知力に超能力までをも兼ね備え、烏帽子の似合う白皙《はくせき》の面差しはヒーローの資質十分である。たぶん西洋画の主人公ならば、画面中央で永遠に脚光を浴びていられただろう。しかし、絵巻は構造的にも吉備大臣だけがピラミッドの頂点にいつまでも立ってはいられない。たとえばわたしなぞは大臣という貴公子よりも、主人を待ちくたびれて牛車《ぎっしゃ》の前に坐り、二の腕を蚊に刺されてかゆそうに掻きむしっている車引と思われる男のほうに好意をもってしまう。直《じか》に会うような気がして見飽きない。「ほんとかゆいのって、つらいね」。親しくことばを交わしたくなる。

　絵巻の面白さは主人公を中心とする物語の筋にだけあるのではない。寄り道・道草こそが絵巻の悦楽である。そういってはナンだが、先述した秀才エリートのあずかり知らない楽しみ方もたくさんある。音楽でいえば、指揮者の率いる交響曲ではない。指揮者どころか音符もメトロノームもいらない。そういえば日本の音楽を代表する能の囃子方にも、神楽のお囃子にも、指揮者はいない。笛も太鼓もみな水平な絵巻的関係に開放されている。

　それは絵巻というメディアの根本性格でもある。本巻も元々は縦が〇・三二メートル、横が二四・五メートルという長尺で、縦に対する横の比率が圧倒的である。この形式は面白い。縦の長さは、地上から天空を志向するベクトルと考えられよう。すると、そもそも絵巻という形式には垂直方向へ伸び上がる力学が成立しにくいことがわかる。では、水平方向に限りなく伸びる世界はなにをもの語っているのか。本絵巻には吉備大臣が幽閉される朱塗りの高楼が六回も登場する。その上、阿倍仲麻呂の魂の化身とされる赤鬼と、ふたりで空を飛ぶ場面さえ出てくる。それなのに、である。見ている間も一巻を見終わってからも、ついぞ天空を志す垂直への意思は、きわめて微弱にしか感じられない。高楼も空も、たちどころに水平方向の大地へ引きもどされ平準化されてしまう。海浜に寄せる波頭が、たちまち真砂を撫でる汀になるように。

　絵巻の面白さは、先述したように「一方向的」に筋を追って理解することには尽きない。ひと目で見渡せる身幅の画面に心身をあずける心地になって、人物の表情や仕草や衣装、あるいは舟や建物のおもしろさなど、好きな部分に視線が吸われ、舐めるようにたゆたうことにある。おや、先ほどは、と巻き戻す。日本文化における時間は自在に変幻するのである。西洋文化におけるいわゆるニュートン古典力学のように均質な、死後の審判に向かう一方通行の時間とはおよそ縁遠い。異質で多彩な時間が渦巻き、鑑賞者に咲《わら》いかけてくる。あらゆる時間の花が咲く。それはなんとも多声音楽的《ポリフォニック》で、祝祭的な時間と空間である。能楽の大成者、世阿弥の言葉を籍《か》りれば「人々心々《にんにんこころごころ》の花なり。いづれをまことにせんや」なのである。

　したがって、絵巻に表れた日本人の時間は「一方通行」の均質な水路のようなものではない。綾なす時間、彩る時間、飛ぶ時間、畳まれる時間があり、そこかしこに入れ子構造をなす。絵巻は、展《ひろ》げれば二十メートル余りの豊穣な時空を、巻きとれば直径数センチほどの渦の中に収めてしまう究極の入れ子である。わたしは日本文化の本質をこのゆたかな感情とともにある「絵巻の思想」に求めたいと思う。そこから美術も詩歌も味わってゆきたい。北斎も芭蕉も絵巻の思想のゆたかな体現者だと思うからである。絵巻には額縁がない。天地は宇宙に開放され、スタートラインもゴールも、そこにはきれいさっぱり存在しないのである。

途上としての時間

茶庭の露地は清らかでこころ洗われる。が、それは、眺めるためのものではない。通るもの、歩くためのものである。日本美術を代表する絵巻物も似ている。そのどこを取ってみても、一枚の西欧画にみられるような完結する時間は描かれていない。すべては悠久の時間に開かれ、新たにみるものの心身を待っているのである。

それゆえに桃山時代以降、書でも絵でも長尺を切り離した断簡が、切れ端あつかいをされることはなかった。むしろ珍重されてきた。たとえば、宗達・光悦の書画共同作業による「鹿図」絵巻は、いくつかに切り離されて別々に所蔵されている。しかし、パーツがパーツのままで重要文化財になっていることを不審に思う人はいない。『鳥獣戯画』も、もとの巻子装の完品ではないが国宝である。『紫式部日記絵巻断簡』や『狭衣物語絵巻断簡』も、残欠ながら十二分に鑑賞に耐える絵画である。これは西洋画ではありえないことである。たとえばレンブラントの『夜警』を考えてみよう。もしこの名画をいくつかに切断し、分有したものがあるとして、それを一級品の美術だと主張するひとがいるであろうか。そもそも切断自体が可能であろうか。

この彼我の相違は、東洋の詩文や書画における切れと余白を考える上で欠かせない視点になるだろう。それは一神教文化と、そうでないものの時間意識の根底の相違を意味しているように思われる。キリスト教文化圏には唯一絶対神による宇宙創造というスタートがあり、死後の神の審判による神の国への救済というゴールがある。神の審判へ向かって、この世の時間は一方通行で流れる。とすれば、とうぜん流れ去る瞬間を額縁の中に確固として閉じ込め、結晶化したくもなる、というわけだ。

ところがわたしたちの時間はどうであろう。初発はあいまい模糊、もしくは言葉にできない「無」ではなかろうか。では終点はあるか。仏教史上、わが国で特異な変容を遂げた鎌倉新仏教の浄土宗や真宗系に阿弥陀浄土がある。しかし、それは神の審判によるゴールという時間の一方向の先にあるものと同一ではない。大局的に仏教、儒教、道家思想という東洋の時間にゴールの設定はない、といい得るのではないか。

目的と帰着点というゴールのある祈りの姿は、ユダヤ教の「嘆きの壁」にも象徴的に表れているようだ。壁の前で人々は神と一対一の関係になって真剣に祈っている。ところが、わたしたちが初詣に近くの社寺に家族や友人と出かけたり、ひとりで鎮守の森で手を合わせたりするときはどうだろうか。反対に個我意識はふだんより薄まっていないだろうか。言葉にし得ないものにすこし溶けようとするのではないか。日本人には創造神にむかって一対一で話しかけたり懺悔したりする習慣はなかった。始めも終わりもない絵巻の永遠の途上の時間にわたしたちは放り出されている。そぞろなさびしさの生まれる土壌がそこにあるのはたしかなことであろう。

さびしさと他者と

仏は常にいませども　現《うつつ》ならぬぞあはれなる
人の音せぬ暁に　ほのかに夢に見え給ふ

（『梁塵秘抄』西郷信綱著、日本詩人選二二、筑摩書房、一九七六年所収）

夢のなかでさえ仏は、けはいとしていますばかりである。「現ならぬぞあはれなる」。そこにさびしさが生まれるのはとうぜんの帰結であろう。国風文化が醸成されたのちの平安末十二世紀後半のこの今様《いまよう》は、その後の長きにわたる日本人の心性の典型を表すもののように思われる。この不完全な思い、満ち足りぬさびしさは十四世紀前半に兼好法師を得て、「月は隈なきをのみ見るものかは」という美意識へと昇華された。さびしさを下地にした完璧でない美が志向され、日本ならではの不完全の美、アシンメトリーの美が追究されてゆくのである。さらに、そうした文化の伝統があればこそ、次の西行の和歌も生まれたのではなかったろうか。

とふ人も思ひ絶えたる山里のさびしさなくば住み憂からまし　　西行

日本の美を代表するわびやさびのみなかみに位置する歌である。一首をもしも茶の湯の道具に譬えれば、利休好の茶盌「大黒《おおぐろ》」などがふさわしいのではないか。求心的な美をもつ楽茶盌のさきぶれをなす歌と思うのである。ここでは文学が美術に先行している。西行への鑽仰に生きた芭蕉は、これを本歌として「さびしさをあるじなるべし」（「嵯峨日記」、『松尾芭蕉集2』新編日本古典文学全集七一、小学館、一九九七年所収）といい切った。その精神の地平に、自己完結しない「切れ」と「余白」の詩、俳句という文学が生まれたのである。

自己完結しないことで、俳句は、「さびしさをあるじ」として、見もしらぬ他人を待つようになった。あたかも能の開演前に能面が鏡の間でシテを待つように。何百年も伝わる能面は、演者という生身を、その時代その時代で取り替えることができる。すぐれた能面があり、すぐれたシテがあらわれる。そこに何かがやどる。俳句もおなじ。すぐれた俳句があり、すぐれた鑑賞者があらわれる。そこに俳句という文芸のいのちがほとばしる。稲妻のように。

こうしてみると、一対一で語りかける造物主という唯一絶対神、人格神のいない日本文化の時間は、ゆくえもしれぬ途上の時間をみずから引き受けてきた歴史であるともいえそうである。

あか〱と日は難面《つれなく》もあきの風　芭蕉

人も　馬も　道ゆきつかれ死にゝけり。旅寝かさなるほどのかそけさ　釈迢空（1）

永遠の途上としての時間にゴールはない。芭蕉も迢空も、自己完結しない途上の時間をなんとふかぶかと味わっていることであろうか。日本文化は途上としての時間をみずから引き受けることで、寄る辺ないおのおのの生のさなかに積極的な意味を見出してきた。そこにはじめて「夢の中間《ちゅうげん》に生まれ来て、なにを現《うつつ》とおもふべき」（「卒塔婆小町」、『謡曲集 下』日本古典文学大系四一、岩波書店、一九六三年所収）といった、他者との境を乗り越え、時空を乗り越える契機も生まれる。「いま・ここ」にいて、あこがれる人と逢うこともないさびしさ。誰かが訪ねてくるのぞみもないさびしさ。そうしたさびしさをたよりにして「いま・ここ」からの脱出と超越をこころみるのに、はたして加藤周一のいう亡命や宗教的な神秘主義体験や禅が必要であろうか。必ずしも必要ではないのである。ここにいない死者や他者を思い、相手の身にやさしくなりかかわる思い、それこそが自他の境界を乗り越える「いま・ここ」からの超出であろうから。

俳句は「近代芸術」の範疇《はんちゅう》から漏れることを、いっそ誇りとする詩型である。俳句は自我の作でも頭の作でもないことを望んでいる。ちょうど能面が、そこに憑りうつり能楽の時空をはるかに生きる演者を待つように。先に述べた絵巻の入れ子構造が、俳句における「切れ」と不可分のものであることを諸言しておこう。すぐれた俳句には深い切れがあり、そうでない俳句には味わうべき切れがないということも押さえておきたい。では、「切れ」によって他者に開かれ、まだ見ぬ他者を迎え、生成する時間の構造が新たに生まれることを次にみていこう。

VI　芭蕉――宇宙のエロス

芭蕉の入れ子構造

ではさっそく、絵巻と共通する入れ子構造の「切れ」をもつ俳句にあたってみよう。なかでも入れ子構造によって、生きて動く大きな世界に開かれた表現を芭蕉の俳句に味わってみたい。

馬ぼく〳〵我をゑに見る夏野哉

天和三（一六八三）年、芭蕉四十歳の作。馬に乗り夏野を横切る自分を画中《がちゅう》の人物に見立てている。絵巻のひとこまのようで、入れ子構造をもつ俳句としてわかりやすい一例であろう。俳聖とも称される芭蕉はけっして早熟ではなかった。不惑を迎えたこの年もまだ、春には〈花にうき世我酒《わがさけ》白く食《めし》黒し〉や、初夏には〈清く聞《きか》ン耳に香焼《かうタイ》て郭公《ほととぎす》〉といった、うすべったい言葉をいいはやしては面白がる機知的あそびから足を洗うことができなかった。西山宗因の談林派の影響から脱しきれなかったのである。

だが、この句は、そうした旧態を脱ぎ捨て、画期的なおおらかさにくつろぐ。「馬ぼくぼく」という実のある擬態語《オノマトペ》は機知ではない。ここには蹄の音や馬上に揺れる動きを感じさせるリアルな身体感覚の裏打ちがある。読み手もたちどころに草いきれの道に引き込まれてしまう。馬上のひとに親しみがわく。堀信夫の注釈によれば、そもそもこの句は「中国文人たちの羇《き》旅《りょ》図を粉本《ふんぽん》」とした画賛の句であったという（『松尾芭蕉集1』新編日本古典文学全集七〇、小学館、一九九五年所収）。つまり発想の契機は直接体験ではなく、画中の騎手にことよせてかつての自己の体験を見出したことにあった。発想自体が、他者になりかわる入れ子構造をしていることが学者の考証によって明らかにされたのである。

しかし、考証の事実と、表現された文学作品とはまた別ものである。先入観なく一句に向き合うとどうなるだろう。「駄馬に跨ってよっこらおっちら旅するわたしは、ちょうど墨絵の片すみの野末に描かれた馬上の野人にそっくりなことだよ。その絵さながら、青草の雄々しくたける夏野であることよ」と興じているのである。颯爽と名馬に乗って駆け抜ける貴人ではなく、草いきれの夏野をゆく田夫に自己を投影したところにあたたかな俳味がある。和漢の故事・古典を詰めこんだ衒学的《ペダンティック》な二、三十代の言葉遊びの句とは一線を画す。芭蕉はこうして三年後にせまる蕉風確立にむかって胸襟を開き、自己を大きく客観化する地平へ蟬脱《せんだつ》していった。そこから夏野をわたる涼風がやってくる。

命二ツの中に生《いき》たる桜哉

貞享二（一六八五）年、四十二歳の作。芭蕉は郷里の伊賀で俳諧の手ほどきをして二十年前に別れた、かつて九歳の少年であった土芳《どほう》と、近江の水口でゆくりなき再会を果たした。いま、ふたりの前にはひともとの桜が咲きほこっている。不思議なことが起こる。見下ろす大桜の黒々とした幹にも枝にも、満開の花という花にも、鏡像のように二人のいままでの歳月が脈打ち、息づきはじめるのである。枝もたわわに花びらはさざめき交わす。互いを思う気持ちは憑りうつり、なりかわり、芭蕉・土芳・桜木という三者三様の入れ子構造となって、花明りのなかに変幻し合うのである。二十年を別々の場所で過ごしながら、同郷の二つのいのちはつながっていた。はるかな時空を生き抜いてきた互いの身を思うとき、茫々と花のような涙がにじむ。芭蕉の情《こころ》そのままが、句の勢いになっている。

旅寐してみしやうき世の煤はらひ

貞享四年、四十四歳の作。堀信夫はこう解釈する。旅寝を重ねて、ふと気付くと世間では煤払いに一家総出で立ち働いている。「その日はしなくも昔なつかしい郷里の歳末風景に接し、郷愁と旅愁とが同時に詩人の胸中を騒がせているのである」（『松尾芭蕉集1』）。

解釈の半分にうなずきながら、はたして郷愁や旅愁というわかりやすいノスタルジーの句と片付けてしまっていいのか、という疑問が湧く。芭蕉を矮小化することにならないだろうか。

根底にはたしかに「うき世」という俗世間へのなつかしさがある。が、そこから幾重にもやわらかな水輪が広がり出していないだろうか。これは、大いなるものを静かに問いかける入れ子の多重構造をなす句ではなかろうか。多層をみていこう。

①まず、入れ子の中心に現実の芭蕉がいる。②それを包む俗世間の「うき世」がある。元禄時代の「浮世」だが、中世以来の「憂世」の翳も曳く。③さらに一回り大きいのは「旅寝」する漂泊者の眼差しである。非僧非俗を自称する芭蕉は世外《せがい》の者として煤払いの忙《せわ》しさをみている。はたきや箒や雑巾を手に、かしましく立ち働く父母や年寄や子、一家総出の大掃除は、それらをすでに放下《ほうげ》した不住の眼にはほほえましいものに感じられるのである。この世外のまなざしは、二百五十年後、芥川龍之介や川端康成の美意識のみなもととなるであろう。すでに敏感な読者はお気づきであろう。あの「末期《まつご》の眼」である。その淵源をしるす視座がここにはある。④さらに、もう一つの入れ子がある。「月日は百代の過客にして、行かふ年も又旅人也」の『おくのほそ道』の冒頭は、李白の「天地ハ万物ノ逆旅《げきりょ》ナリ。光陰ハ百代ノ過客ナリ」が典拠だから、芭蕉には天地は万物の宿る旅籠《はたご》との思いがあったはずである。すると、天地そのものが入れ子の四重目になる。

このようにしてこの句が、ただの「郷愁と旅愁」のエレジーではないことがわかる。量子力学の観測者効果ならずとも、ものをみる側によって、この世の姿は千変万化する。底が抜ける。人間の感情と認識のマトリョーシカには底も外縁もないのだから。

芭蕉は『おくのほそ道』の後半にいたって時空の入れ子構造をさらに深める。自己にいったん引きつけ、それを手放してふたたび乾坤《けんこん》へ還《かえ》すダイナミズムを獲得するのである。芭蕉といえば、わびさびの俳聖として拝跪するむきもある。しかし、神格化は観光事業を成功させても、新しい俳句の地平を拓くことはない。「人間芭蕉なにものぞ」とする不断の問いかけだけが新たな俳句を生むであろう。

わたしは芭蕉に一個の多感な熱情のひとをみる。人生を彩るいくつかの恋はあったとしても、生涯の恋は杜国《とこく》一人であったろう。このみちのくを巡る旅に出立する五年前、四十一歳の芭蕉は名古屋でその運命のひとと出会った。富裕な米穀商で『冬の日』において雪華《せっか》をおもわせる澄明《ちょうめい》な感性を示した杜国の人生はまもなく暗転する。空米《くうまい》売買の罪で故国を追放され、渥美半島の尖端へ流罪となる。出会いから二年後、芭蕉は流謫《るたく》の恋人を海辺の寒村まで尋ねてゆく。翌年、杜国は配所を抜け出し、なんと、伊勢で芭蕉と落ち合う。伊賀、吉野、奈良、須磨、明石、京へと、罪人の身を忍びながら百日の蜜月旅行をともにするのである。そこに芭蕉のいのちの昂揚に包まれたあまたの佳什と、紀行文『笈の小文』が生まれた。それからわずか二年後、芭蕉が無音《ぶいん》を案ずる文をよこしても返すこともできず、杜国は三十四歳で夭折する。まことに劇的な恋の顚末であった。

その死の前年、杜国を胸にみちのくの山河を跋渉《ばっしょう》する芭蕉は、乾坤のエロスに参入してゆく。『嵯峨日記』では夢にあらわれた杜国との「念夢」に目覚めて涕泣《ていきゅう》する。床をともにしようとした痴夢であったのはまちがいない。そして芭蕉は自らの死の年、いまや「日本人の精神の基本的姿勢にかかわる言語空間」(堀切実『『おくのほそ道』時空間の夢』角川叢書、二〇〇八年)とも称される『おくのほそ道』を完成する。俳句に大いなる時空の開放をもたらすのである。ここでは、集中の至上の三句を味わってみたい。

雲の峯幾つ崩《くづれ》て月の山

元禄二(一六八九)年。芭蕉四十六歳の作である。中七の「崩て」に大きな切れがある。「雲の峯」は積乱雲で夏の季語。男性原理をあらわす。対する「月の山」は、次のような五つの入れ子構造をなしていよう。

一つは、現に登拝している月山《がっさん》。二つは、秋季の月に照らされた山。三つは、麓の刀鍛冶の銘「月山」。四つは、天台止観でいう真如の月(羽黒山・月山とも当時、本山は天台宗寛永寺)。五つは、女性原理の暗喩である。したがって、井本農一の解釈、「高い雲の峰が夕日に映えている。月山を仰ぎ見れば、空には淡い月がかかっている。この夕暮の月のさす月山になるまで、雲の峰は幾つ立っては崩れ、崩れては立ったことであろうか」(『芭蕉文集 去来抄』井本農一・村松友次・栗山理一校注・訳、完訳日本の古典五五、小学館、一九八五年所収)は知性で捉えた表層の貌《かお》にすぎない。入れ子構造を踏まえて多層的《ポリフォニー》な音楽のダイナミズムを味わってみよう。

今朝もわたしは見た。炎暑の大空に峯雲が雄々しく聳え立つのを。その隆々たる純白の柱を。柱廊は太古から月山をどれほど荘厳《しょうごん》してきたことか。涯《かぎ》りなく繰り返された雲の輪廻よ。

すでに日は没し、潰《つい》え去った積乱雲はあとかたもない。日中のふもとの炎熱が嘘のようだ。冷ややかな月光に洗われて横たわる寂寞《しじま》の山よ。あなたは知っているだろうか。雲の峯はわが煩悩、風狂の思いでもあったことを。万物の声をひかりのように孕んで、万物と放電を交わさずにはいられないこの男の祈りを。いつか真如の月にかがやくまで、わたしは歩き続けよう。弓なりに身を反らせる刃、十七音の詩という刀を、月の香になるまで鍛《う》ち続けよう。

変幻してやまない幾つもの真実がこめられた驚くべき詩である。それは二十世紀初頭にピカソの試みたキュビスムに勝るとも劣らない多面体の表現である。しかもこれは理知的な分析や機知によって至りついた修辞技法の披瀝《ひれき》ではない。旅寝という一歩一歩の行脚《あんぎゃ》を重ねた芭蕉そのひとの、全体重をかけた直観把握の表出である。

この句からわかることがある。巷《ちまた》にまことしやかに流布している「俳句は瞬間を詠むものである」という俳句作法が、じつは初心者のためのものであることが。一句は巫山《ふざん》の神女と楚王《そおう》の幻想譚「雲雨《うんう》の情」さえいじらしく思えるほどの長大な時空を蔵《おさ》めている。狂躁と静《せい》謐《ひつ》とを往還するドラマツルギーが籠められた途方もない切れをはらむ俳句なのである。

暑き日を海にいれたり最上川

「暑い一日を最上川が海に流し入れてくれた。おかげで、夕方になって少し涼味が出てきた」という井本農一の基本解を踏まえて核心に踏み入ってみよう。「暑き日」には、夏の太陽という物理的天体と、暑い一日という時間の両義が掛けられている。では、はたしてその赫奕《かくやく》たる炎暑の天体と一日の時間とを、日本海に押し没《い》れたのはひとり「最上川」だけであろうか。ここには芭蕉の名言、「行きて帰る心の味はひ」が匿《かく》されている。海に没れた「最上川」もまた、源から河口までの長途《ちょうと》を「暑き日」とともに滔々と流れてきたのである。夏の一日は最上川をして、燃える太陽を押し流し日本海に没せしめたのである。こうして目的語である「暑き日」はぐるりと還流して一句の主体にもなるのだ。時空のなりかわり合うエロスのダイナミズムに、一句はいまも火照っている。

荒海や佐渡によこたふ天河《あまのがわ》

牽牛《けんぎゅう》と織女《しょくじょ》の星合《ほしあい》の夜である。すでに荒海はたっぷりと闇をたたえ、夜空を嚙む咆吼《ほうこう》だけが響く。凄いほどに星屑はきらめき、海原へ降りてくる。銀砂子《ぎんすなご》となった天の河が、海峡にどうと横たわる。が、波はちりぢりだ。孤影を日暮れまで刻んでいた遠流《おんる》の島、佐渡島は、掻きくらして何処《いずこ》ともしれない。この世の愛するもの同士は、あらがいようもなく、別れに引き裂かれる。

宇宙である天の河と、目の前の海峡に横たわる天の河。永遠の時間と、人間の時間。その入れ子構造は、悲壮な天体のエロスを織りなす。〈白げしにはねもぐ蝶の形見哉〉と愛人杜国に与えた繊細を極めた留別《りゅうべつ》の句は、いまや十七音の神秘に転生した。この句で注目すべきは、先の二句にみられた入れ子構造が、もはや重層の枠組みすら超え、時空を微細に溶かし込んでしまっていることである。いにしえの星のひかりは、荒海の波しぶきに一瞬一瞬を粒立ってやどるだろう。大宇宙は一筋の天の河に姿を変えて、流罪となった順徳上皇、日蓮、世阿弥らの頭上に燦然《さんぜん》とかがやき出そう。往古の人々の感情はいま、わがこととして胸をゆるがしてやまないのである。

そういえば、わがふるさとの河畔でも、白鷺は糸巻の形に着地したのだった。母の突然の死に、時間においてけぼりを食い、しゃがみこんでいたわたしの胸を突いて。そのとき、天《あま》翔《が》ける白い翼はふくよかに畳まれた。死ぬことは生きた時間が無くなることではないのだろう。悠久の時空の中で、いのちの井戸は掘られた。生の時間はたしかにあるし、あったし、いまも巻きとられて存在する。絵巻のように。

みてきたように、時間は、丸山眞男のいう「一方通行」のものではなかった。また加藤周一のいう「過去からも未来からも切り離され」、「自己完結性を強調する」ものでもなかった。時空のなりかわり合うエロスのダイナミズムは、このいまに向かって、生き生きと狂おしいまでに開かれている。

入れ子構造のドラマツルギーに満ちた芭蕉の三句は、日本文化に脈々と伏流してきた時空観の新たな噴出であり、極美と極大をゆき来する妙なる花である。芭蕉が野ざらしを覚悟の旅寝の果てに体得したのは、東海道やみちのくというローカルを踏まえつつ、普遍に、グローバルにとどいた宇宙の躍動であった。いまもその入れ子の中心からいのちの泉が噴き上がる。これらをわたしは「宇宙のエロス三部作」と名付けよう。

Ⅶ　つきぬける遊び

『鳥獣戯画』のくつろぎ

それは渓間《たにま》をほとばしる水のいきおいから始まった。流れに首だけ出した兎と猿が、ぽかんと口を開けている。鼻をつまんで背中から逆さまに川へ飛び込もうとするもう一匹の兎の、いましも岩を離れんとするやわらかな趾《あし》。水かけっこして泳ぐ兎と猿の向こうの岩に、老いた猿がとろりと坐っている。川波の涼しい岩場である。「お背中流しましょう」。若い猿と兎がいそいそと老猿の毛並みの手入れをはじめる。兎は清流を一杯の柄杓《ひしゃく》に酌んで、花束を捧げる小学生のようにうれしそうだ。

『鳥獣戯画』の多孔質の楮紙《こうぞがみ》はまるで雪原のように清らかで、ささめき戯れる筆の遊《すさ》びは、渓流や、草木や、禽獣《きんじゅう》のいのちを、地の底から涌き出すように躍動させる。蛙が烏帽子《えぼし》をかぶり、猿が法衣《ほうえ》をつけ、狐が経文《きょうもん》を読誦《どくじゅ》する。田楽《でんがく》に興じる場面では、蓮の青葉をかぶった蛙が両手に扇と編木《びんざさら》を振って舞いおどる。そのすっとんきょうな後ろ姿からは、躍動する楽しさがあふれる。これは茶番ではない。ここにあるのは媚《こび》もへつらいもない天地いっぱいにはじける笑い声だ。まぶしく炸裂する純粋感情だ。からかい、ふざけ、くすぐりっこして飽きなかった子ども時代がよみがえる。無邪気な底抜けのよろこびが空間を満たしている。

　この初夏（二〇一五年）に東京国立博物館にかかった『鳥獣戯画』甲巻は未曾有の人気で、暑い館の外で一時間、中に入ってまた二時間つながった。

「しゃがむと楽よ」

　ほんとかいなと思った。いいかげん腰がだるい。三人一列に並ばされたお隣さんは親友同士の女性二人組。真似してしゃがんでみる。立って二歩ほど進む。お昼を過ぎてヘトヘトになったころ、絵巻がやっと目の前に現れた。

「兎もお猿さんもほーんと気持ちよさそう」

「ちょこちょこって描いてあるすすきや女郎花《おみなえし》がいいわ」

「ひっくり返す面白さね。人間の社会を描いているんじゃない」

　言い得て妙。『鳥獣戯画』甲巻は哄笑とともにこの世の価値観をしずかにひっくり返していた。お猿さんが厳《おごそ》かな法衣の僧正になって法要の経を上げる。黒漆の香狭間《こうざま》の壇上に鎮座する仏様の光背は、日のひかりを透かす芭蕉の青葉である。ご本尊は、とみれば、ふっくらと白い腹をふくらませた蛙如来だ。猿や蛙や兎ら、野山の生き物のおふざけは、卑しいどころか神遊《かみあそ》びめいた高雅なくつろぎまで感じさせる。この世を腹の底から笑いおちょくってけっして斜に構えないのである。西洋諷刺画の大脳皮質を刺戟する痛快さとは違う。どこまでもぬくとい。動物たちのはつらつとした身体感覚とさんざめく感情は人間となにもちがわない。いえ、規範にがんじがらめな人間は笑いたくても笑えないではないか。泣きたくても泣けないではないか。本性を曲げて生きる人間の硬直を、かれらはやさしく笑い飛ばす。人種や国籍や宗教で分けるこざかしい分別はいっさいそこにはない。素《す》の感情がそれぞれのからだから天地いっぱい躍動している。

「甲巻から次へ進んでください」、係員に許された時間はたった三分だった。しかし、ガラス越しとはいえ、頬を寄せるように画をのぞきこんでいたのはほんとうに三分だったのだろうか。蛙や兎や猿たちといっしょに生きた馥郁《ふくいく》たる体験、というほかなかった。手首まで神泉にひたしたような満足感があった。いったい、日本文化に脈々と息づいてきた諧謔《かいぎゃく》とは何ものなのであろう。

下流に倣う『北斎漫画』

作者も享受者もともに笑いくつろぐ平安時代の『鳥獣戯画』の精神は、六百余年を経て、江戸後期の『北斎漫画』（文化十一〔一八一四〕年～明治十一〔一八七八〕年刊行）へと、まっすぐつながる。大きな諧謔精神のバトンが渡されたのだ。遊《ゆう》の精神のゆたかなリレーをみてみよう。

『北斎漫画』初篇は、高砂の尉《じょう》と姥《うば》の吉祥図に幕をあける。伏羲《ふくぎ》、神農《しんのう》、孟子、老子という中国古代の神王や思想家から、王祥や閔損《びんそん》にいたるまで、篤学《とくがく》の北斎の筆は及ぶ。漢籍に親《しん》炙《しゃ》した知識階級の興味を引きつけながら、町民にも馴染み深い利休、一休、小野小町、阿倍仲麻呂など本朝の人気どころも陸続と登場する。とはいえ『北斎漫画』はやはり下々《しもじも》のものの喜遊曲である。いや、そういってしまうと誤解されよう。北斎からすれば、上記の偉人傑人も、長屋でのんびりいびきをかいているおかみさんも、まったく同じ地平に生きているのである。

　葛飾北斎という雅号を、「葛飾のあほくさい野郎です」と、卑下の意とする説に思わず頷いてしまうほど（有泉豊明『北斎漫画を読む――江戸の庶民が熱狂した笑い』里文出版、二〇一〇年）、絵師は終生いわゆる高踏趣味とは無縁であった。市井の風俗や人馬の動き、鳥獣虫魚から風雲波浪、妖怪《ようかい》手妻師《てづまし》、農耕具、機織り機、寺社建築……この世のありとあらゆる様態に貪欲な好奇心を燃やし続けた。そしてすべてをいつくしんだ。北斎はうちから沸き起こる興に乗って万物の千変万化を描き尽くそうとしたのである。

　第三篇にある「雀踊り」の絵をみよう。「II　北斎の「なりかわる」絵」でみたように男の顔は編笠のかげに隠れ、ふっくらしたふくらはぎを弾ませて踊っている。跣《はだし》にふんどしという尻ほっぺ丸出しの姿《なり》がそもそも愉快。前屈みになって右足を蹴り上げたかと思うや、今度は股座《またぐら》からうしろを覗く。ごめんなすって、あっしは知らん。一気に両袖を右に放り投げる。はたまたでんと大の字になる。尻ほっぺを武張《ぶば》らせ、そのいきおいで右へヤーレホイ、左へソーレホイ、つま先をぽーんと蹴り上げる。みているものまで踊り囀《さえず》ってしまいそう。

チイチイパッパ、チイパッパ。笠で顔のみえない男の身体のリズムにこちらもついつい同期する。ピーヒャラ、ヒャララ、祭り笛に踊らされるように全身の細胞がウズウズしてくる。これこそ、なりかわる絵でなくてなんであろうか。

『北斎漫画』は頁を繰るたびに千変万化する。西行法師の胸に四、五百年前の山部赤人が凭《もた》れかかる。小野小町の美貌を見上げて、八百年後の其角《きかく》がとろとろにとろけている。唯美主義の定家の「夢の浮橋」は手妻師の手にかかるや滑稽な組み体操に姿を変える。分身の術をつかう孫悟空と殷《いん》の妲妃《だっき》がいる頁を一枚めくると、そこは結氷した諏訪湖を渡る行商人の光景に一変する。

北斎にあっては、時系列、聖俗、貴賤、賢愚、美醜、強弱、老若の差別など、ひとえに風の前の塵に同じ。妖怪や鬼神や霊獣さえひとなつかしく、海市や舟鬼《ふなゆうれい》までもが親しげにささやく。次々とびっくり箱を開ける面白さの奥に、大きな風が潜んでいる。目に見えるものと見えないものの境をブレイクスルーする風である。北斎の描く千差万別は、きっと無のほとりにあるのだろう。絵師は有と無の境を遊びつくし、世界の迷宮へと、見るものをいざなう。これを飯島虚心はこういう。

凡そ人たるもの、上流をみて、これを羨み、これを学ばんとするは、蓋《けだ》し常情なるべし。然るに翁はこれに反し、つとめて、下流に倣《なら》はんを欲し、嘗世に媚びるの色なし。

（飯島虚心『葛飾北斎伝』鈴木重三校注、岩波文庫、一九九九年）

下流に倣い、ハナから世に媚びずとは、なんといい言葉だろうか。北斎に心底惚れていなければいえないオツな見きわめである。こうしてみると、『鳥獣戯画』も『北斎漫画』も、わたしにはともに日本人の描いた桃源郷のように思えてくる。そこに展開しているのは唯一神によって造られた神のもとの平等ではない。作られざるもの（＝無）から生まれたもの同士が、横につながる平等である。それらが天地いっぱいに踊躍歓喜《ゆやくかんぎ》している。『鳥獣戯画』の作者も北斎も、人間の「はみだすぶぶん」に興味がある。「囲い込まれた美」なんかクソクラエだ。なにものにも、管理、統率されない人間の高貴な面魂《つらだましい》は、いま、横丁の愛すべきぷるんぷるんのおデブのおかみさんの昼寝姿になって大鼾《おおいびき》をかいている。

それは『鳥獣戯画』の作者から高らかに始まり、一休・世阿弥・宗達・若冲・北斎へと、うねりながら続く、この世とあの世をつきぬける闊達な遊びである。はるか青空の哄笑が、二十一世紀のこの萎縮を強いられる現代にもよみがえってほしい。それが宇宙船地球号の甲板すべてに広がったらどんなにうれしいことだろう。

春画――いのちの豊穣

ところで、万能選手にみえる北斎に、もし弱みがあるとしたらなんだろう。色気かしら？歌麿にはかなわないといわれる。なぜ。と、思い当たることがある。個室でひとりシナを作るひとはそうそういない。色気や媚態《びたい》は他者の目があってこそ。たとえば歌麿の「ポッピンを吹く女」をみよう。眺めるほどに婀娜《あだ》っぽい。鳥のかろやかな羽で袖口をひと撫でするだけで「はっ」と息をもらしそうだ。それでいて永遠に遠い。こちらを瞪《みつめ》かえしてもくれない。距離、屈折、秘匿。色気の三宝はこれではないかしら。色気のないわたしがいっても説得力はないが、お許しを。歌麿はそれを縦横に生かした。が、北斎にはそんなまだるっこしい芸当はできない。真っ先に絵の主人公になりかわり、その中にすっぽりと生き切ってしまう。北斎は色気で勝負せず、人間を志向したのだ。歌麿は惚れる絵、北斎はなりかわる絵。そういってみたい。どちらも理性ではカタがつかない。その身体感覚の豊穣と感情のやわらかさがつむじ風になって、理性崇拝の合理主義ガチガチであった十九世紀後半の西欧社会に、ジャポニスムのうねりを巻き起こしたにちがいない。

ところが、ここにじつは、北斎の春画が登場する。どこからみても春画である。いったいこれをどう解釈すればいいのか。北斎が精力的に春画に打ち込んだのは還暦をはさむ約十年間ほどのこと。これは『北斎漫画』の初篇から十篇までの時期とぴったり重なる。

渡辺京二が『逝きし世の面影』（平凡社ライブラリー、二〇〇五年）で面白いことを述べている。

> 徳川期の日本人は、肉体という人間の自然に何ら罪を見出していなかった。それはキリスト教文化との決定的な違いである。（中略）
>
> 鎌倉鶴岡八幡宮の境内にあって、子授けの効験で有名だった女陰石をあげておこう。

これについては多くの記述があるが、最も要を得たリンダウのそれをひいておく。「それはおよそ三尺ばかりの石で、その上に自然が女の性器をおおざっぱに彫刻したものである。それは木の囲いに取り囲まれていて、古木の陰に立っている。この異様な偶像は帝国全土で大層敬われており、『おまんこ様』という名がつけられている。あらゆる地方からここに巡礼にやって来る。そして高価な寄進をするのである。とりわけ子の出来ない女が、いわば恥ずかしいこととみなされている石女との別れを願いにやって来る。新婚夫婦、娘、それに子供さえも同様にお祈りを捧げる」。まったく堂々たるものだといっていい。性器崇拝はどの国にもあった古俗だろうけれども、ここに表出されているのは、性についてのまったく翳のない肯定意識というものだろう。

そして江戸の庶民にとって「性は生命のよみがえりと豊饒の儀式」であり、性について現代人のような偏見やこだわりがなかったことを説く。

そういえば北斎の春画『富久寿楚宇《ふくじゅそう》』の輝くような男女の裸体も、もう一本の足のように巨大な陽根も、まさに神器《じんぎ》さながらである。作者にとっては『北斎漫画』の巻頭巻末を吉祥図で飾った気持ちと、そこになんの分けへだてもないのだろう。春画も『北斎漫画』も、ともにいのちの豊穣をことほぐ祭りなのだ。

現代のまんがの吹き出しに相当する男女の会話が余白に書かれている。『富久寿楚宇』の画のスケール感に比べるとあまりにキッチュで、その落差はいっそ微笑ましい。よがり声をあげて、「するたびくにいつもより、もふくかくべつにき（気）がいく」とかいって、間男に秘所を舐めさせている巻尾の女が、わたしにはまるで「神奈川沖浪裏」の富士山のように神々しく思えるのである。

日本の思想——花咲く絵巻

ここであらためて、『冨嶽三十六景』『北斎漫画』など北斎の浮世絵を、絵巻の一つのゆたかな変奏形態として捉え直してみたい。

『冨嶽三十六景』は一景ずつ独立している。しかし、日本美術史を鳥瞰すればどうか。北斎のみならず、春信の『風俗四季哥仙』の連作、歌麿の『高名美人見たて忠臣蔵』のシリーズなどの浮世絵は、千古の伝統をもつ長尺の絵巻を身幅に切り分けた絵巻の新フォルムの到来と見ることもできるのではないか。伝世のあいだに、原作の断簡となった美術は、奈良時代の『過去現在絵因果経』以降、『高野切』『鳥獣戯画』など、数しれない。だが、浮世絵はそれら諸般の事情によって切り分けられた受け身の断簡ではない。むしろ、みずから積極的に断簡たることを志向した絵巻の新しいステージの宣言だったのではないか。

その一景一景の展開が、やがて昭和の時代に爆発的流行をみるコマとコマとが切れてつながるマンガを生んでゆくのである。そう思うと、この切り分け画面の創出は、生産性が極めて高かったことがわかる。日本のマンガ・アニメは二十世紀以降、世界中にゆたかな感情の輪を広げ、経済的にも日本の文化輸出生産高をリードしてきた。鳥羽僧正や北斎が予想だにしなかったことであろう。

切れっぱなしではなく、切れながらつながることで「入れ子」としての時空は畳み込まれる。絵巻は長尺からミニチュアになることで、時空の遍在化をいっそう自由にする。そう密かに気づいた北斎は、他の誰よりも意識的かつ積極的に、なりかわり生成しあう融通無碍なる入れ子としての世界、すなわち「包摂する時空」を提示したのではないか。西欧の思想哲学者よりもはるかに生き生きと全人的《ホリスティック》に。そうして『冨嶽三十六景』のみならず『北斎漫画』も、絵巻のある一場面として存分に味わうことができるようになったのである。

わたしは切れてつながる俳句の実作に長年かかわるなかで、このなりかわり生成しあう「絵巻の思想」が、千々に切れてつながる島国の文化の底流に古代から息づいてきたのではないかと思うようになっていた。そこから、絵巻にこめられた言語化されていない思想、コノテーションを読み解くことが日本の文化と芸術を理解する上で、鍵になるのではないかと愚考するようになった。第二章から名句を味わいながらさらにつぶさにしていくその思想の骨格を、ここでまずざっと素描してみよう。

絵巻の思想——六つの花

一、変化しあう視点

壁に垂直に掛けられる西洋画は正面から全体を一瞥《いちべつ》する定点観測といえよう。それに比べて全体像を一瞥できない絵巻は水平方向へ手繰りつつ巻きとってゆく移動体観測である。絵も見手もともに移りゆく。みずからが変わることで世界も変わりゆく（という思想がひそめられている）。

二、見えない時空と響き合う

絵巻は時間や空間の隔たりを、すやり霞《がすみ》や金雲によって表現してきた。それは、わたしたちの身の回りに、目に見えないものが同時に存在することを語る。時間は一方通行ではなく、可逆的にもふるまう。時の流れは一定でなく緩急をもつ。人間は目に見えない時空と響き合い多声音楽的《ポリフォニック》に存在している。いつどこにもあらゆる花咲きがある（という思想がひそめられている）。

三、包摂し合う

日本文化の書、画、能、茶の湯、俳句などには、大きく深いものが入れ子になって畳み込まれている。一即多、多即一という華厳思想から血脈を得た、これら身幅の芸術は、限りないものを包摂する（という思想がひそめられている）。

四、万物斉同

横方向に極度に引き延ばされた水平の画面には本質的な意味での主従はいない。生と死は地続きである。生きもののからだは、体内をめぐる水によって切れながらつながっている。それは根源的かつ絶対的な平等である。たまたまそれはあなただったが、私でもありえたという、なりかわり共感し合う時空の入れ子はどこにでも出現する。天地はそもそも無に開放されているのだから（という思想がひそめられている）。

五、遊の笑い

絵巻を巻き取れば、あらゆる時空も一つの渦に巻き取られる。有象無象がちっぽけな特殊性にこだわり呻吟《しんぎん》するのは滑稽である。笑い飛ばし、平等のいのちに遊ぼう。過現未《かげんみ》の時空は共存し隣りあう。その溶け合う瞬間を楽しみ、過去にも未来にも遊弋《ゆうよく》しようではないか（という思想がひそめられている）。

六、感情の大陸を共有する

生きとし生けるものは生老病死の苦を共有している。神仏習合の八百万《やおよろず》の神の郷《くに》には、一対一で告白懺悔する唯一絶対神はいない。その根源的なさびしさの大地こそ、憑りうつり、なりかわり、共感し合う感情の沃野である。日本の風土の春夏秋冬の変化は、少年・青年・壮年・老年という人生の諸相の隠喩めいて味わい深い。かつ台風・地震・津波・噴火など天変地異の国である。あらゆる現象に富んだ風土は、繊細なこころの襞を織りなす感情の大陸である（という思想がひそめられている）。

根源の平等――万物斉同

こうした絵巻の思想の後背地《こうはいち》はおもいのほか深く広い。儒仏道の三教のみならず山岳宗教の修験道とも渾然一体である。なかでも「道」をおもんずる老荘思想、とくに『荘子』のゆたかで自由闊達な感情の肯定が日本文化に果たしてきた影響の大きさを見逃すことはできない。ではここで、『荘子』の「広莫《こうばく》の野」が日本文化に硬軟自在に受容されてきた理由をあらためて考えてみたい。

一、『荘子』「斉物論篇」に説かれる万物斉同《ばんぶつせいどう》は哲学としては深遠だが、八百万の神を祀《まつ》り、百草《ひゃくそう》生い茂る風土に暮らす日本人にとっては、素朴な平等感とやすらかな感情の開放として粥状に噛み砕くことができ、生理的に受容しやすかったこと。

二、万物斉同は後代の天台本覚思想や、後の禅宗の仏性論とも馴染みやすかった。老荘の「道」の思想は、草木国土悉皆成仏《そうもくこくどしっかいじょうぶつ》といわれる、非情のものでも成仏できるという日本仏教の特色をなす思想と親和性が高く、柔和であたたかい和風文化の芯になり得たこと。

三、日本の絵巻は群衆登場の場面でも、個人は集団の一構成員としてのみ描かれるわけではなかった。生き生きした固有の感情と表情がつぶさに描きわけられてきた。そこには、個人の感情をかけがえのないものとするまなざしが感じられる。その奥には、万物斉同の「道」の分有や、仏教の仏性が控えていた。そこから一人ひとりの感情をおろそかにしない伝統が生まれ、感情のゆたかでキメの細かい「絵巻物」に結晶し、世界に誇る美術となっていった。

北斎は遅くも三十代までには『荘子』を味読し、みずからの精神を深く涵養したとみられる。『荘子』から創造のエネルギーを汲んでいたと思われる。主だった根拠を挙げよう。

一、三十八歳のとき、俵屋宗理から北斎辰政への改名を知らせる摺物《すりもの》に「師造化」の落款《らっかん》を使ったこと。『荘子』「大宗師篇」に「造化」があり、これは荘子の核心、「道」の隠喩《メタファー》である。

二、六十一歳から八十一歳まで「為一《いいつ》」を号とした。これも「恢《かい》恑《き》譎《きっ》怪《かい》道《みち》は通じて一と為す」（『荘子』「斉物論篇」）という『荘子』の思想の要諦《ようてい》を示す語である。

三、『北斎漫画』に孔子、老子、釈尊は描かれるが、『荘子』の著者とされる荘周は描かれない。これこそ、『荘子』を深く理解した証しである。なぜなら、仏教の真理は釈尊の悟りであり平等性智《びょうどうしょうち》は智慧と慈悲の修行によって至りつく世界である。一方、万物斉同は荘子の悟りでさえない。ハナから天地に開かれた根源的な存在の平等である。荘周は自己の思想を体現し、歴史の中に姿を晦《くら》まし果《おお》した。画に描くのは野暮である。

四、画と文がともに北斎作の黄表紙、『児童文殊稚教訓《ちごもんじゅおさなきょうくん》』（寛政十三〔一八〇一〕年、四十一歳作・『葛飾北斎小説集』伊藤勝発行・北星出版社刊、一九七八年）に注目したい。このいまでいう教養娯楽小説に、北斎は『荘子』「斉物論篇」の南郭子綦《なんかくしき》めいた人物を「へたさくしゃ可候」という名で自己戯画化して登場させている。南郭子綦は机に凭《もた》れるが、「へたさくしゃ可候」は障子の敷居に凭れて一睡する。「愚なる眼より人を見る」旅に出させ、世の千差万別の人間の斉《ひと》しさと平等を悟らせる。これが『荘子』の思想を体得したひとでなければ書けない名文なのである。

以上から、北斎の精神的支柱の少なくとも一つに『荘子』があったことはいえるであろう。『北斎漫画』を「画の百科事典」と呼ぶひとが多い。これにはいささか違和感をおぼえる。なぜならそこには西欧の百科全書的な啓蒙精神や合理主義とはおよそ異質な精神が流れているからである。西欧の「百科事典」は、世界の現在に至る八百年をリードしてきた資本主義の「蒐集」と「統率」の文化的な表象である（水野和夫『閉じてゆく帝国と逆説の二一世紀経済』集英社新書、二〇一七年。水野和夫・山本豊津『コレクションと資本主義』角川新書、二〇一七年）。一方『北斎漫画』はもとより知や情報のコレクションではない。無からのいのちの噴出であり、その多様性の祝祭である。

以上のことから、画狂人北斎を『荘子』の万物斉同の最高の芸術の体現者として位置づけることが、それほど見当違いではないことをご理解いただけたのではないかと思う。

北斎の画業を貫いた森羅万象への飽くなき表現意欲は、そのまま俳諧精神の地脈《ちみゃく》でもある。芭蕉は「詩歌連俳はともに風雅也。上三のものは余す所もその余す所迄俳はいたらずと云所なし」（『三冊子』、『連歌論集　能楽論集　俳論集』日本古典文学全集五一、小学館、一九七三年所収）といった。規範や法則にとらわれることなく、万物に自由にのびのびと向き合う俳諧精神の闡明《せんめい》である。芭蕉のことばは、当今の俳句がお稽古事化し芸能化し、うすっぺらなことばのおもちゃになってゆく状況を鋭く照射してやまない。俳句はほんらい、漢詩・和歌・連歌が詠みのこすどんな地平にでも飛び込んでゆく主体的な営みである。文学としての「破行句《はいく》」の姿がそこにある。塵のように小さな俳句にはうらと表の顔を使い分ける余裕はない。詩型自体が全人的《ホリスティック》な生を希求している。俳句とは結界のない逍遥遊《しょうようゆう》なのである。

芭蕉は客死に臨んで、その涯《はて》しない妄執を吐露した。

旅に病《やん》で夢は枯野をかけ廻《めぐ》る　　芭蕉

北斎は『北斎漫画』七篇の巻頭に、杖を手に木かげに休む芭蕉を掲げて追慕した。しかし、みずからの臨終の床では、芭蕉の辞世に一発かませる。芭蕉の妄執をおおらかに笑いのめして去ってゆく。

飛登魂《ひとだま》でゆくきさんじや夏の原　北斎

なんとも人を食ったひょうきんな辞世である。九十を目前にした翁とは思えない。わしが死んだら、いきおいよく飛登魂になってやろう。そうして青々と茂る夏野原をどこまでもかけ回って壮快な気晴らしをしよう、というのである。青白く尾をひいて空中をとぶ人魂は、「飛登魂」のポジティブな表記によって、たちまち辛気臭《しんきくさ》さが消え、ただならぬヴァイタリティの塊になった。「きさんじ」は、生命を気の離合集散と捉える『荘子』「知北遊《ちほくゆう》篇」の「人の生は気の聚《あつ》まれるなり。聚まれば則ち生と為《な》り、散ずれば則ち死となる」を背景にしていよう。しかしながら北斎は担板漢《たんばんかん》ではない。儒仏道や修験道の習合するぶ厚い「気」もここには蔵まっていよう。

生きている間は描いて描いて描きまくった。気散じなぞする暇はなかった。ようし、これから気散じだ！「や」の切字に、死んで夏野を跳梁するぞ、という気概があふれる。青すすきや青葛原の草いきれに底抜けの哄笑がひびく。あっけらかんとした「遊」の精神の高笑いである。北斎のたましいは、娑婆《しゃば》世界をつきぬけ幽明の境を超えて、いのちの沃野、無のふくよかさに遊ぶ。辞世のもつかげりや力みの対極にある健康さ、血気盛んさよ。この世のありとあらゆる形態とリズムを健啖《けんたん》に咀嚼し続けたひとの凱歌《がいか》であり、いっさいの境を超越する意欲に貫かれた辞世といえよう。

（1）釈迢空　国文学者・民俗学者の折口信夫（一八八七〜一九五三）の詩歌人としての号。

第二章　定型と呪

Ⅰ　結んでひらいて

五七音の魔

色は黒いが　カメハメハ
あの娘可愛や　カメハメハ
花はくれない　海原みどり
色即是空で　後生楽
ハアーアアアア　カメハメハメハメハ
チョイト　カメハメハ

（井田誠一作詞「ハワイ音頭」）

「つぎは、ハワイ音頭、でーす」
品川の駅前ホテルのビルの谷間、祭りテントから明るい声がはじける。高輪町内会のスピーカーに合わせて櫓《やぐら》の上で和太鼓が始まった。カメハメハ王がなんで「色即是空」なのオ。ハテナが点滅したまま盆踊のノリにわたしもさそわれてゆく。お隣の大玉すいかを抱えたような妊婦さんも、そわそわ輪のなかに入って踊りだす。昨日は静岡の山家《やまが》で和尚さんに盆の棚経《たなぎょう》を上げてもらったばかりだ。その『般若心経』があれよあれよとフラダンスのレイにふちどられてゆく気分。ハワイアン・色即是空・盆踊の融合は、カクテルグラスの「ブルー・ハワイ」を、好物のいわしの刺身の横にすっと出されたよう。

おや、まてよ。指を折れば七五調である。

だいぶ昔のこと。学生時代は厭世観にとりつかれ、『白秋詩集』や『謡曲集』を枕頭《ちんとう》の書にしていた。わけてもこの詩が好きだった。

時は逝く

時は逝《ゆ》く。赤き蒸汽の船腹《ふなばら》の過ぎゆくごとく、
穀倉《こくぐら》の夕日のほめき、
黒猫の美くしき耳鳴《みみなり》のごと、
時は逝く。何時しらず、柔《やはら》かに陰影《かげ》してぞゆく。
時は逝く。赤き蒸汽の船腹の過ぎゆくごとく。

（北原白秋『思ひ出』）

涙をぬぐうかわりに、「あかきじょうきのふなばらのすぎゆくごとく……」とゆっくり口《くち》遊《ずさ》めば、歯をくいしばってつらさを耐える力が抜けた。ほわわあっと慰められた。苦しみをいっとき忘れて安堵《あんど》し、やがて寝入ったものだ。いま、その詩を書き写して、改めて驚く。

自由詩と思いこんでいたのに、〈五。七五七、／五七、／五五七、／五。五、五七。／五。七五七。〉と、五七調ではないか。振り返れば「落葉松」も「片恋」も、当時よく愛誦した白秋の詩はみな五七音の構成である。では、いまも心弱りの折に口遊まずにはいられない蒲原有明《ありあけ》の「茉莉花《まつりか》」はどうだろう。

茉莉花

咽《むせ》び嘆かふわが胸の曇り物憂き
紗《しゃ》の帳《とばり》しなめきかかげ、かがやかに、
或日は映る君が面《おも》、媚《こび》の野にさく
阿芙蓉《あふよう》の萎《ぬ》え嬌《なま》めけるその匂ひ。

魂《たま》をも蕩《た》らす私語《さゝめき》に誘《さそ》はれつつも、
われはまた君を擁《いだ》きて泣くなめり、
極秘《ごくひ》の愁《うれひ》、夢のわな、―君が腕《かひな》に、
痛ましきわがただむきはとらはれぬ。

また或宵《あるよひ》は君見えず、生絹《すゞし》の衣《きぬ》の
衣ずれの音《おと》のさやさやすずろかに

ただ傳《つた》ふのみ、わが心この時裂けつ、
茉莉花《まつりくわ》の夜の一室《ひとま》の香のかげに
まじれる君が微笑《ほゝゑみ》はわが身の痍《きず》を
もとめ來て沁みて薫《かを》りぬ、貴《あて》にしみらに。

（蒲原有明『有明集』）

〈七五七／五七五〉のリフレインである。明治以降の最高の音楽的達成と思ってきた詩が、五音と七音だけでなりたっている。ハワイ音頭も、蛍の光も、白秋や有明の詩まで、五七音の祝祭、あるいは呪縛のなかにあったとは。

定型は言語の蜜か

和歌、俳句、川柳などの定型にかんする従来の定説は、「五七五（七七）は、日本語を母語とする者にとって、ここちよく安定感を感じる音数律である」というものであった。

ところが、不思議な体験をした。南仏のエクス・マルセイユ大学で「花の俳句」（二〇一四年十二月）の講演が終わったあとのこと。院生や学部生さんたちが口々にいう。

「日本語って美しいですね」

「俳句の朗誦が音楽のように、歌のように聞こえました」

「ありえないことです」。出かかったことばをぐっと呑み込んだ。「人前で歌ってくれるな」が母の遺言だった。音痴に自信のあるわたしは混乱した。でも、ちょっと待てよ。あんがい大事なことを教えてくれそうだ、これは。

先の定説を疑ってみたらどうか。五七五（七七）は、もしかしたら日本語を母語とする者にとってだけではなく、日本語それ自体にとって親和性が高いのではないか。日本語という言語の生理に根ざした快美な音数律なのではないか。そう考えると、俳句の朗誦が南仏の若者たちの眼をきらめかせたわけも納得できる。

思いおこせば学生時代にかじったフランス語も、音節の長短や脚韻を知らなくても、ソネットやオードを聞くたびにうっとりさせられた。唐詩も、日本の俳優の漢文読み下しのCDではなく、中国人の吹き込んだ原語のCDを聴いて魂消《たまげ》たことがある。平仄《ひょうそく》の抑揚に富んだ音楽的な展開に全身が血湧き肉躍る興奮をおぼえたのである。

ここちよい音数《シラブル》は言語によって異なるのだろう。各言語において結晶度の高い定型詩は、人類の耳に普遍的な快美をもたらすことができる。もしかしたら定型詩とは、それぞれの国の「言語の蜜」なのではないか。

反転する短小

では、「言語の蜜」であることを感じさせてくれる実際の俳句をみてみよう。

桑原武夫の『第二芸術』（一九四六年十一月発表、講談社学術文庫、一九七六年）のなかの言葉を籍《か》りれば、「世間的勢力」が至って乏しかったために、俳壇的には至って不遇であった高雅な俳人のひとりに宇佐美魚目《ぎょもく》[1]がいる。その恐るべき二十代の俳句である。

空蟬をのせて銀扇くもりけり　『崖』

「空蟬《うつせみ》」は夏の季語で蟬のぬけ殻。扇も夏の季語だが、ここでは季語としてはつかわれていない。そぞろに夏木立を散歩して蟬のぬけ殻と出会った。胸に挿していた扇子をひらいて載せてやる。蟬殻の針のような琥珀の趾《あし》を降ろすと、銀の扇面がにわかにうるんだ。「のせて」「くもりけり」と、二動詞をひらがなにしたところに眼目がある。乾坤のなかに空蟬と銀扇だけがまじりけなく息を交わし合う。やや古びて淡墨《うすずみ》を帯びた扇の山と谷には、夏木立のひかりがうつろい、空の青さも溶け入っていよう。そのいぶし銀の空間に、蟬の殻はしずかな位置を占める。瞬時、長く地中に生きていた息と体温がやどったのである。わずかばかり前、生身を満たしていた殻から水蒸気が投網《とあみ》をひろげ、生と死がゆらぐ。それは白昼のほのかな幻影である。

「空蟬」の辞書的第一義は、この世に生きている人、うつそみである。また日本に発祥《はっしょう》した扇は、昔からわたしたちのくらしに濃密にかかわってきた。夏扇、祭扇、茶扇、舞扇、能の扇と、かぎりない表情を帯びる。それら文化的コードの豊穣のなかで、『源氏物語』の薄衣《うすぎぬ》を脱ぎ捨てて去る「空蟬」の女や、扇の影に面《おもて》をくもらせる夢幻能のシテがほの昏《くら》く揺曳《ようえい》する。一句はギンセンという繊細な濁音を要《かなめ》に、ゆらぎの交響を涌きたたせる。日本語の蜜は貴腐葡萄の濃厚さではない。甘露の法雨、無味の味わいにある。

俳句の真価は、見たままを再現する写生にはない。日常のことばではいい得ないものを暗示することにある。名句はつねに多義性にゆらぐ。弱く小さな詩は、眼に見えないものの世界へも水輪《みずわ》をひろげ、長大な時空に交わろうとする。

担板漢と空塵

禅に担板漢《たんばんかん》ということばがある。一枚の板を担《かつ》いで歩くと板に遮られて向こう側が見えなくなる。ものごとの一面しか知らないのに、己を正義と思う男をいう。現代人は情報の奔流のなかで、担板漢になりやすい。大きな板を担ぐ力を持てば持つほど、ものは見えなくなる。組織しかり。名誉しかり。権力しかり。

俳句はそもそも板など担げない。ゴミのようなもの。宇宙の塵であることを自覚したとき、ふしぎな反転が起こる。塵はオールラウンド、全人的だ。どこだってゆく。丸腰で宇宙に飛び込む。

一寸法師。桃から生まれた桃太郎。かぐや姫。すずめのお宿。昔話にもみられるように、日本人は小さいものが好きだ。そういえば東京国立博物館の庭園公開日は、面白い光景に出会える。本館の裏庭を散策されたことがおありだろうか。バルコニーの前で外国人が池のほとりの紅葉を盛んに写真に撮っている。でも、池までは写しても、対岸にある木の間隠れの建物には目もくれない。屋根に落葉を載せた遠目には粗末な小屋。それが日本建築の粋、草庵の茶室であるというのに。広間では味わえない深みが草庵の小間にはある。茶盌や茶入にかかった釉のかすかな濃淡や火色を「いい景色ですね」といって味わう極小の空間。いにしえ人の息づかいやぬくもりを一座で共感し合う静かなよろこびの場。二畳台目の吐息のようなほの暗さが、どんな雲や月を移ろわせる緑潭《りょくたん》になるか、池と紅葉だけを追いかけるひとは気づこうとしない。

俳句も、凝縮された詩であることに価値がある。俳句は感情と認識を十七拍に撓《たわ》め、オールラウンドを恢復《かいふく》する。

墨痕にいのち霰のごとく去る　『草心』

いのちはあられなのか。驚きに打たれて、ある記憶がよみがえった。

福井県は永平寺の堂塔うらの杉木立だった。にわかに空が淡墨《うすずみ》にくもり、ぱらぱらと白いものが来た。マフラーで頬を覆うひまさえなく。仰げば、杉の秀《ほ》つ枝《え》に身を躍らせる真っ白な珠《たま》。老杉《ろうさん》の根に真珠は弾んだ。霰は一瞬にして天地にほとばしった。

魚目は老若男女に書を教えて渡世とした。ならばこの墨痕《ぼっこん》は古筆か自筆かを問わぬ。真率に運ばれた筆のかすれや余白に、書き手の息づかいがこもる。作者は、墨跡にではなく、揮《き》毫《ごう》するひとのいのちそのものに霰を観た。生は霰のように天地を去る。空蟬にくもる銀扇のゆらめきを見逃さなかった眼は、裡《うち》にたばしる霰の激しさを秘めていた。この墨痕には凍る天空も紅梅のしじまも融けこんでいよう。老艶というほかはない墨の色が。いのちは霰さながら手漉き和紙に躍り、撥《は》ね、やがてにじむ。筆の「去」った跡には、いいしれぬ陰翳がやどる。大杉の梢を抜け、地上の静寂《しじま》を深める天界の沙汰そのものとして。和紙に咲いた冬の華は日々鮮《あたら》しい。

水仙を巌場づたひにはこぶ夢　『薪水』

水仙を巌場《いわば》伝いに運ぶ夢を見た。平明といえば平明ながら、この夢の不気味なほどのリアルさはどこから来るのか。「巌場づたひに」で、胸に水仙を抱えたひとの足元に、たちまち青海原が出現する。頭上は茫々たる蒼天《そうてん》である。水仙は真冬、越前岬や爪木崎《つめきざき》などに群生する。薄雪まじりの日など、葉の若緑の披針形《ひしんけい》は、けなげなまでに清冽にそよぐ。ギリシャ神話に登場するナルシスは有名だが、和水仙は自己愛とはほど遠い。むしろ清浄なるものへの身を砕いても悔いなき憧憬《しょうけい》をうたう。人ひとりやっと通れる径《こみち》だ。足を踏み外せば、水仙ごと海原へころがり墜ちよう。絶壁では背《そび》らを巌《いわお》に寄せ、水仙を傷めぬよう海へ向けて横ばいする。待つ人もいないのに、どこへゆくのか。ただ、水仙を運ぶ。かけがえのない芳《かぐわ》しい匂いを。
句末の「夢」一字に句の肺腑《はいふ》がある。胸を焦がすあこがれも、ひたすらな思慕も、すべては夢なのだ。そう見さだめたうらぶれた寒巌に、すき透る日差しと水仙の香が溶ける。審美者の面目がここにはある。この世は夢、と肚《はら》落《お》ちした精神にきりぎしの水仙ほどふさわしいものはない。

凝縮と開放

ここまで芭蕉から現代俳句を味わって、ある疑問がわいてこないだろうか。はたして、「連句の発句が独立したものが俳句」という「定説」に、いつまでも追随していていいのかと。形式上からはたしかに、俳句は連句の発句から独立して始まった。しかし、定説を旧説にしてゆくところに活発な詩の天地がある。俳句が文学としての成熟を遂げ、世界のＨＡＩＫＵとなったいま、いたずらに旧説にしがみつくことなく、新たな俳句本質論がうち樹《た》てられるべきであろう。

俳句を十代から始め、長じて草間時彦宗匠の歌仙の座に八年半参ずるなかで気付いたことがある。それは連句の発句と現代俳句とは、すでに発想も表現方法も大きく異なっているということであった。俳句は蕉風確立から三百年後の現在まで、連句の発句とは別種の、固有の生命体として、新しい生長を遂げてきたのではないか。

連句はこの世のあらゆる相対差別の諸相がなだれ込んで絵巻のような一巻をなす。連衆《れんじゅ》はひとうねりの長大な時空の生命体と化して一座を建立する。連句の発句はうねりの始まりを告げ、一巻全体に主調音を響かせる。してみると、俳句が連句の発句から独立したという説は、俳句の本質論ではなく、発祥論にすぎないことが了解されよう。先の芭蕉の宇宙のエロス三部作（第一章　VI）でもみたように、すぐれた俳句はその切れに、連句一巻に勝るとも劣らない乾坤を畳みこんでいる。一句自体に連句の「転じ」を包摂しているのである。

現代の俳句は座をおなじくする仲間内だけに読まれることを前提としていない。俳句をつくるとき、感情を季物に託して広やかなものに自我を開放する。そこにいっさいの垣根はない。沈黙のなかに感情を深く刻んだ切れは余白をひろげ、極小の詩は大きな時空をたわめこむ。そして万人に開かれる。幼い日によく歌ったなつかしい歌が思い出される。

むすんで　ひらいて
手をうって　むすんで
またひらいて　手をうって
その手を　上に
（作詞者不詳）

手を結びっぱなしにしない。開きっぱなしにしない。凝縮と開放がともに起こる。それが俳句という最短定型詩である。俳句はもはや、連句の発句が独立したものではない。連句一巻の止揚なのだ。

II　人と時のコレスポンダンス

まじないと顔

夕焼けの安倍川の土手を友だちと遊び疲れて帰ったものだ。歩きながらズック靴を、山のむこうの茜色の空へ向かって蹴とばした。

「あ～した天気にな～れ！」

「わー、お天気！」

「わたし、雨だあ」

みんなが、晴れるまで靴を放り上げたものだ。

放るといえば、幼いころ、乳歯が抜けたときも、上の歯は縁の下の暗がりへ、下の歯は屋根の上へ放り上げたものだった。小さな粒に屋根瓦は音もたてなかった。十《とお》にもなると、「いい歯はーえろ！」と、唱えるのも恥ずかしく、こっそり放り投げてそそくさと家のなかに入ったものだ。

遊び半分とはいえ、こうしたおまじないのいくつかを誰もなつかしくこころの底に眠らせているのではないか。「歳時記」にも祈りや呪《じゅ》のことばがたくさんある。とくに「新年」の部には、吉祥のまじないや祈りをこめた季語が目白押しである。まずは年神様を迎える門松に始まり、注連飾《しめかざり》、若水、破魔矢、恵方詣《えほうまいり》、鏡餅、楪《ゆずりは》、嫁が君……。日本列島に住みなすものは、お正月さんを迎えるために居住まいを正してきた。

年賀状も印刷ではない肉筆の一行があれば吸い寄せられる。相手のやさしい祈りをいただく気がする。年末は、バタバタしながらもおせち料理に、つい張り切る。吉祥尽くしを手づくりできるよろこびがあるからだろう。お煮しめは里芋を亀甲形にし、蒟蒻《こんにゃく》は手綱《たづな》にくぐらせる。日の出人参、よろこんぶ。大地にしっかり根を生やす牛蒡《ごぼう》、働き者の田作りに黒豆、勝ち栗きんとん、子孫繁栄の数の子。あらたまの年を家族が健《すこ》やかに暮らせるよう祈りをこめてつくる。未知の年は何が起こるかわからない。信仰という大げさなものはなくても、なんとなく初詣にゆく。歳徳神《としとくじん》がいます吉方を選べば恵方詣になる。

不安と祈りといえば、学校や資格などの試験を思い出す方もおられよう。受験日の前日はカツ丼を食べたり、手から飯茶碗がすべらないよう気をつけたりする。結果を待つときは祈りしかない。といっても、試験には又の機会があるのである。

一つしかないのはいのち。一生のうちで祈りの感情が沸点に達するのは、子をみごもったときや、生まれたばかりの赤ん坊を育てるときではなかろうか。悪阻《つわり》や異様な眠気や、エコーに映る胎児の位置や心音や、期待と不安にさいなまれる妊娠期間を経て、ようやくこの世に生まれ落ちた新生児の表情をつらつら眺めたことがおありだろうか。

みどりごは夜も日もなく乳に吸いついてはこんこんと眠り、前からも後ろからも容赦なく放《ま》る。うっすらと目をあけ、猿のような顔で眠っている。そこになんとも不思議な表情がやどるのである。ちょうど大海にどろどろの陸地が漂い浮き上がるかのように、いまだ経験したことはなく、これから体験するであろう人間のありとあらゆる感情が、裡《うち》がわから映写機をあてられているようにリアルな表情となって浮かんでは変転しつづける。ほわわとほぐれる満月のような笑みを宿すたまゆらがある。母の胸はとろける。が、すぐさま薄気味悪い皮肉めいた笑いに変わる。仮面はつぎつぎ剝がれてゆく。ひとを妬むかにじいっと睨《ね》め上げ、眉間を寄せる。猜疑心を持っているの？　なんて高慢チキな、と思う間もなく、今度はにわかに白菊のような気高い微笑がともる。仏菩薩《ぶつぼさつ》のようだ。と、あっけなくほほえみは崩れ、たちまち底のほうから、奸智をめぐらす悪がしこい顔が浮き出す……。それは大通りをゆきかう大人たちのどんな表情よりも複雑微妙である。そう、生まれたての赤ん坊はけっして晴朗なぞではない。不定形のいいようもない百面相を、眠りながらありありと体現してみせるのである。

月日の流れは早い。その嬰《こ》が医学を学んでいる。

「大脳がランダムに自己発火していて、大脳の神経を自分で鍛えているのではないか、という説が神経生理学にあるよ。大脳の予行練習といえるんじゃないかな」

見たことのない人間は机上の知識だけで簡単にいってくれる。かりに愚息の意見を取り入れると、生まれ落ちたばかりの個人としては未体験でも、あらゆる感情はすでにヒトの遺伝子に組み込まれているのだろうか。そして、やがてやって来る体験の場に備えていると。生理学的にはそうかもしれない。しかし、足元から考えれば、こうもいえそう。これからさまざまな教育を受け、理性に管理統率されていく前の裸のいのちである。固有とされる自我を十数年かけてつくってゆく未分化な赤ん坊は、糞尿を垂れ流しつつ教えてくれたのではないか。

「おかあさん、ぼくたちはホントはね、みんな深いところで海のように、失われたパンゲア大陸のように、ありとあらゆるひとの感情と自由に分けへだてなくつながっているんだよ」

ふだん、わたしたち大人が、しずかさや優しさといった表情でひとと接しようとする理性的な自我意識というものの正体が、一皮めくれば、阿頼耶識《あらやしき》の海にうかぶ蜃気楼にすぎないことを、生まれる前の世界から来たこの世の新参者は、逆照射して母にみせてくれたのではなかったか。

『金枝篇』から恋と死の呪へ

近代の理性と科学万能主義の時代の渦中で、大部の奇書が編まれた。イギリスの人類学者、ジェームズ・フレイザー（一八五四〜一九四一）による『金枝篇《きんしへん》』（全五巻、永橋卓介訳、岩波文庫、一九五一〜一九五二年）である。それは人類の呪術の百科全書といってもよい。古今東西にわたる呪術の膨大な事例を調べ上げた例証の宝庫は、まじないとそれに基づく宗教が人類にとっていかに根源的なものであるかを証している。それは同時に、人類の文化の古層に人種を超えた樹木信仰が横たわっていることも明らかにしてみせた。そこまでが社会民俗学の未発達な時代に出現した近代の奇書たるゆえんである。ところが、やはりフレイザーも時代の子であることを免れなかった。著者は後半部で、こうした呪術は宗教と科学によって乗り越えられると明言した。「科学を得て、呪術を捨てる」。それが近代合理主義者フレイザーの最終的な主張であった。

初版は一八九〇年である。百三十年を閲《けみ》したいま、深い疑問が頭をもたげる。人間の祈りと、その切実な呪とは、そもそも乗り越えられるべきものであろうか。

もちろん、「未開人」の人身御供《ひとみごくう》や生贄《いけにえ》をささげる野蛮な呪術までもを肯《うけが》いたいわけではない。生の不安を遮断し、思考停止装置と化す迷信やまじないは危険な麻薬である。祈って済ますことは、現実を直視せず、解決に向かって挺身《ていしん》しない卑劣ないいわけにもなる。しかし、そのような祈りと呪の負の側面は、じつは人間精神の総体からすればほんの枝葉であり、さわがしい枝葉ゆえに目を引いてきたといえないだろうか。

子どものいのちの誕生とすこやかな成長を祈る気持ちや、父母をはじめ愛するものの長寿を祈る気持ちは人類共通であろう。祈りや呪の源泉をなしてきたのは、むしろ、ひそやかで清らかなひたすらな感情ではなかったか。そこにこそ、芸術の噴井《ふきい》も生まれ続けてきたはずである。

切なる祈りや理性を超えた呪を、息苦しい近代の自我を乗り越える新たな可能性として、プラスに捉え直すことはできないだろうか。『金枝篇』ならずとも、一皮むけば斉《ひと》しくわたしたち人類は、祈りと何らかの呪の大海に日々生息しているのだから。

　ひとには恋と死がある。恋と死があるかぎり、祈りも呪もほろびようがない。恋は地の底から湧き上がる狂おしい感情である。あるいは虚空から爆弾のように落とされる情念である。それは科学や理性のコントロールするものではない。情念は自我の枠を超え、赤の他人に憑《ひょう》依《い》する。

　つれづれと空ぞ見らるる思ふ人天降《あまくだ》り来んものならなくに

和泉式部　『玉葉和歌集』巻十、恋歌二

なにをするでもなく、ひとりでに空を仰がずにはいられません。お会いしたい。ただそればかりに、大空にこころが吸われてゆくのです。恋しいあの方が天から神のように降り立ってくださればいいのに。そんなわけはないのに。

　この呪的な祈りは和泉式部ひとりのものではない。運命に立ちすくみ、ことばを失う体験がひとにはある。現実ほど残酷なものはない。死別もまた……。自分や愛するひとの死病を宣告されたとき、なんとか生きたい、生きていてほしいと願う。人事を尽くせばもうあとは祈るしかない。祈りの感情は、立って半畳、寝て一畳のからだをあふれ出す。人間の感情は近代合理主義の網ですくうことはできない。祈りは自我を超え、呪にとどく。

福永光司によれば、中国では「芸術」は広義では技芸学術一般を意味し、狭義では呪術・占術を意味したという（『芸術論集』中国文明選一四、朝日新聞社、一九七一年）。芸術の本源は狭小な自己をはみ出し破り、乗り越えるところにある。それはあらゆるひとの生の、いついかなるところに生起してもおかしくない感情である。してみると、愛するひとに会いたいという祈りや、愛するひとの死を免れたいと願う呪的な感情が、人間の切実な表現となり、あたたかい共感《エンパシー》のゆりかごとなってきたことは不思議ではない。グローバル社会においては、ひとは固有の人間ではなく、特定の機能遂行商品として雇用される。用途に合わせて顔や言説を使い分け、断片化して生きることを強いられる。そうした現代人にとって、全人性を回復する契機に、源泉の感情としての祈りがあるのではなかろうか。

都市生活では忘れられがちだが、生きているということは、本当は新生児の表情が示すまでもなく得体のしれぬ事態である。都市生活をするわたしたちは、ふだんたいていの感情に見て見ぬふりをして蓋をしている。しかし何人にも斉しく、誰かしらに伝えたい表現の欲望はある。俳句でいえば、それを五七五の定型に撓《たわ》めるとき、抵抗が生まれる。いい得ない感情は十七音をあふれようとする。そのはちきれる力が「切れ」となるのである。たとえば、

杜国におくる

白げしにはねもぐ蝶の形見哉　芭蕉

芭蕉の句は、最愛のひと杜国《とこく》を「白げし」に喩え、みずからを花に親しみ蜜を吸った蝶に喩える。名古屋での、杜国との留別の句。つらさに耐えきれず形見に翅をもいで与えるという。芭蕉の恋情が極限に達して描き出した白昼夢であり、清雅な雪白《せっぱく》のエロティシズムである。この蝶は『荘子』「斉物論篇」の、荘周が夢に胡蝶になったのか、胡蝶が夢に荘周になったのかわからぬ、あの世この世の境を越えるたましいの蝶ではないか。生木を裂かれるような別れ難さは、「かな」の切字をもって虚空に投げ出され、沈黙する。切ない呪を帯びるのである。

馥郁たるあいまいさ

日本語は人称や時制、単数複数があいまいな言語である。自他を明確に区別する垣根が低い。過去現在未来の時の垣根も低い。それは何を意味していようか。あいまいという弱みは同時に強みにもなり得る。フランス語は人称によって動詞もいちいち変わる。しかし、この分析的明晰さは、逆にいえば、事象を狭く限定することにもなりかねない。

言語自体がものの見方に影響を与え、ある意味思想を決定するという「言語相対仮説」（サピア・ウォーフ仮説）の観点からいえば、人称・時制のあいまいな日本語は、閉塞的な近代の自我を乗り越え、新たな世界を手繰り寄せる潜勢力に富む言語として、未知の価値をもち始めているのではなかろうか。日本語それ自体が、人称と時制の乗り入れ可能性を内包している。ゆたかなあいまいの極みともいうべき実例は、つぎの芭蕉の句にもみられる。

田一枚植ゑて立ち去る柳かな　　芭蕉

初夏の田植えである。「植ゑて」と「立ち去る」の動詞の主語は誰か、長らく国文学者のあいだで侃々諤々《かんかんがくがく》の論争がくりひろげられてきた。主語は、早乙女、お百姓さん、芭蕉、遊《ゆ》行柳《ぎょうやなぎ》の精、と四者に解釈が分かれ、その評釈は十人十色である。「早乙女らが田一枚を植え終わって、芭蕉は西行ゆかりの柳のもとを立ち去る」という解釈が最近の学説の趨勢のようだが、堀切実は「能の夢幻劇さながらの幻想空間」として「あえて「植ゑて」と「立ち去る」の主体を、ともに芭蕉の行動と読みとるのがおもしろい」（『おくのほそ道』時空間の夢』）とする。

しかし、一句の主体をすべて現実の芭蕉に同定することで、この句がほんとうにゆたかになるだろうか。これら主語をそれぞれに特定して、自説の主張が正しいとする近代の論争史は、かえって俳句という余白の芸術を痩せさせてこなかっただろうか。

芭蕉は、西行が〈道のべに清水流るる柳陰しばしとてこそ立ちどまりつれ〉と詠んだ「遊行柳」のほとりに来て、その下で休み、目の前で早乙女たちが田一枚を植えてしまったのを潮に立ち去る。それが第一義的解釈であることに、わたしも同意する。ところが俳句という定型詩はくせものだ。いい句ほどいっぽんの木のように、地に生やした根元からすっくりと樹ち上がり、ゆたかな木かげをひろげ出すのである。

わたしたちは、みちのくの入り口で、玉苗のさみどりの息吹と、それを植え渡すかいがいしい働き、柳を吹きなびかせる風と清水のけはいに身をひたして、二十一世紀の自我からやわらかに抜け出してゆく。三百年前の『おくのほそ道』にも、五百年前の「謡曲」にも、ほぼ九百年前の西行法師の旅空にも、のびのびと自由に遊びくつろぐ。やわらかに自我がほどかれるのである。

十七音の世界最短詩は、追体験のおおらかな逍遥遊《しょうようゆう》をいつでも用意している。掲句は、現実の芭蕉や早乙女を踏まえつつ、遊行上人や西行が柳を立ち去る幻影の多層構造をゆるやかに味わうように出来ている。主語は誰か、ではない。誰もだ。それでこそ遊行柳の風光は馥郁たる詩のふくらみをもつ。名句は人称を特定して一枚の静止画像に固まろうとはしない。むしろ人称や時制を乗換《コレスポンダンス》する自由な時空を涌き立たせるのである。

思い出そう。十二世紀の絵巻（『信貴山縁起絵巻』「尼公の巻」や『伴大納言絵巻』「中巻」など）にも、同一画面に、同一人物の複数の動きを描く「異時同図法《いじどうずほう》」といわれる手法があったことを。そこから五世紀下って芭蕉が現れる。その俳句では、なりかわり合う主体が自在な風光のなかに息づくようになったのである。

さらにいえば、人称や時制の乗換《コレスポンダンス》が呪力を帯びるときこそ、俳句は名句になる。祈るとき、ひとはその対象に憑《の》りうつらずにはいられない。恋しいひとの名をわれしらずつぶやくとき、振り向いてもくれぬひとに憑依している。「狂気がなければ　ひとなど／壮健な動物にすぎぬではないか／子孫を残すだけの生ける屍ではないか」と、ポルトガルの詩人フェルナンド・ペソア（一八八八〜一九三五）はいった（『ペソア詩集』澤田直訳、思潮社、二〇〇八年）。狂と呪のかかわりは深い。

いまや世界の一人ひとりが理性万能の合理主義と人間中心主義の限界に気付き、ビッグデータのＡＩに監視されコントロールされる不毛さの先にあるものを探し出している。

日本のアニメの世界的な流行もこの間の事情を雄弁に語っていよう。『ドラえもん』『千と千尋の神隠し』『となりのトトロ』『君の名は。』『天気の子』『鬼滅《きめつ》の刃《やいば》』、どれも理性よりも子どもらしい純粋感情を尊ぶところから生まれた作品であり、それが物質と経済万能主義の近代合理主義に窒息しかかった世界中のひとに、こころのうるおいを与えているのである。

祈りと呪は新たな復権を遂げるであろう。他者の感情を共有し、他者の痛みを引き受け、創造の力としてゆくことに。もしも高度現代文明の粋《すい》が、一撃で地球の同朋を大量虐殺する核兵器や、地球のどこに隠れても照準を合わせられるＡＩ兵器であるとしたら、人間の尊厳など犬に食わせよう。他者の感情をわが身に引き受ける想像力にこそ人間の尊厳があることを信じたいのである。

名句の呪力――飯田蛇笏

ではここで、飯田蛇笏《だこつ》[2]（一八八五〜一九六二）の俳句をみよう。蛇笏こそ定型の呪力において冠絶した俳人といえるだろうから。

流燈や一つにはかにさかのぼる　　三十五歳作『山廬集』

初秋の灯籠流しである。亡きひとの霊を慰めるため、白木の桟と障子に囲われたろうそくの灯を岸辺から川面にそっとおく。群集に持ち寄られた水辺の炎は犇《ひし》めきゆらぐ。ゆるやかな川岸から離れ難いそぶりをみせる。ゆき惑っているのか。灯のゆくえを凝《じっ》とみまもる。と、川筋にゆらりと乗った朱《あか》い灯が一つ、うちつけにぐっと遡ってくるではないか。彼方から立ちゆらぎ来るなつかしさ。そのとき、流灯はするりとあのひとになる。この世で出会ったたった一つのたましいに。ふたりだけにわかるまなざし。闇にゆらめくほほえみ。二度とおとずれない交感の瞬間である。

川の流れを灯籠が遡上しようか、と問うひとがいるかもしれない。ありえない事象は「一つにはかに」という決然たる調べによって、現実を超えるのである。詩のリアルを獲得し、いい得ぬものを響かせる俳句を、わたしは名句の呪力といってみたい。

雪山を匐ひまはりゐる谺かな　　五十一歳作『霊芝』

凛然たる風骨の蛇笏がいる。セツザン、と漢文調で訓みたい。この匐《は》いまわる谺《こだま》の源《もと》はなにか。荘厳な雪崩《なだれ》か。はたまた樹齢数百年の大樹がどうっと雪原へ斃れる音か。「匐ひまは」

る音源を黙《もだ》したことで、かえって清浄な雪の肌《はだえ》がかの世まで続くように思われる。谺は、雪女の肌をかい撫でようとも救われぬ思い、緘黙《かんもく》を決めた底昏《ぐら》い情念であろう。それは雪白《せっぱく》の空間を亡霊のように這いまわって、いまもやむことがない。

　ここで気付くことがある。作者が一句を全人的に生き切ったとき、もはやことばは、この現実に完全に解消されはしない。ふしぎな生き物としての呪力を響かせるのである。

　英語の綴り「spell」の語源は呪文や呪力であるという。それは人種や文化を超えて、人類の言語表現の淵源には呪があるのだ、という普遍性に思いをうながす。身幅の芸術である俳句の孕む世界は無辺である。生と死は地続きであり、過去と未来は現在になだれ込む。

青蜥蜴岩盤すべるひゞきあり　　五十五歳作『白嶽』

日盛りの象徴のような青蜥蜴《あおとかげ》。岩は巌で『説文解字』には「崖也」とある。磐は大石で、神を祀る磐座《いわくら》にかよう。神霊のやどる依代《よりしろ》となるところでもある。鉄壁めく岩肌に、爬虫類のなめらかな腹がひくひくと息づく。硬質なエメラルド色の尾がひかりのまぼろしを曳いてすべる。その無音。しじまが峡谷《きょうこく》を震撼《しんかん》させる。蛇笏の心耳はそれを聴き逃さなかった。

　小さな青蜥蜴の匍匐《ほふく》が何億年の岩盤に拮抗し、きらめく。なぜか。トカゲは素裸。そして全身だ。赤ん坊は全人的に生まれる。老人は全人的に死ぬ。ならばわたしたち生のさなかにあるものも、全人的に生きたい。現代という時代がそれを容易に許さないとしても。その危うい隘《あい》路《ろ》に芸術は生まれる。たましいははざまを抜けて遊《ゆう》弋《よく》する。そのとき、理性を超えた呪が目覚める。

もしも俳句が眼に見える日常の瑣《さ》事《じ》だけを詠んでこと足りるなら、定型の凝縮などありえない。ぬるま湯に浸かるふやけた指になる。「詩歌連俳の余すところ」の未墾の野に、破《は》行《い》句《く》するよろこびが俳句の情《こころ》である。

太古の人間が地球上で初めて発したことば。それは何か。——産声、だったのではないか。犬も猫も馬も猿の子も泣かない。誕生のとき、人間だけが全身で声帯をふるわせる。おぎゃぁー。それは泣き声か。叫びか。助けを呼ぶ声か。いえ、勝《か》ち鬨《どき》。いえ、音楽。いえ、甘え。いえ、憤怒。あらゆる感情が初めのひと声に、つよく、よわく、すでにして十人十色、千差万別。産声は神の一撃。呪のはじまりである。

(1) 宇佐美魚目　(一九二六〜二〇一八)　名古屋市生まれ。小学生から書を始め、書家として立つ。十九歳から俳句を始める。俳句を高浜虚子、橋本鶏二に師事。「晨」共同代表を経て、二〇一〇年、第七句集『松下童子』刊行をもって休筆。句集に『天地存問』、『草心』など。

(2) 飯田蛇笏　(一八八五〜一九六二)　山梨県生まれ。別号、山廬。虚子の「ホトトギス」を経て、俳誌「雲母」を主宰。句集に『山廬集』、『山響集』など。

第三章　季語と興

I　幽明界つづれ織

俳句の魔力

川端康成がノーベル文学賞を受賞したのは一九六八年の秋。わたしは小学六年生だった。そのころからテスト勉強そっちのけの本の虫がはじまっていた。

二年後の七〇年秋、文壇デビュー当初から川端が力を貸して無《む》二《に》の師弟関係にあった三島由紀夫が、絢爛と無惨な自決を遂げた。中学二年の昼休みだった。どちらかというと疎遠だった担任の先生に、いきなり教室の隅へ手招きされた。

「好きなんでしょう。三島由紀夫が割腹自殺したんですよ」

「えっ」

十四の子に、それ以外のいいようがあるだろうか。いや、いまだってない。川端も翌々年の春に、まるであとを追うかのように逗子のマンションで静かな自死を遂げた。ストックホルムのノーベル文学賞授賞式で「美しい日本の私」を記念講演してから、わずか三年四カ月後のことであった。

田舎の少女は、まるごと難題に呑み込まれてしまった。小説の耽読に拍車がかかる。そんななかで川端の俳句とも出会った。

秋の野に鈴鳴らし行く人見えず　　康成

初読は新聞か雑誌かおぼえがない。ただ一瞬で、見たこともない秋の野にふわあっと抱きとられる気がした。すすきの穂が波立つ野を、この白装束の巡礼は、何処《どこ》から来て何処へゆこうとするのか。なんどもなんども口遊《くちずさ》み、その韻《ひびき》の美しさにうっとりした。アイウエオの五つの母音がまんべんなくちりばめられ、風にしなう萩や、色づく蔦紅葉《つたもみじ》が錦繍《きんしゅう》のつづれ織のように感じられた。かすかに尾を曳《ひ》く鈴の音《ね》いろと白い秋の日に、草花はほっそりと絡みつき、巡礼の脚絆《きゃはん》にはらはらと散ってゆくのがみえた。それはひとくちに美といってしまえるものだろうか。はるかなものへのあこがれなのだろうか。もしかするとこの巡礼は、いたいけな二歳の康成を遺してこの世を旅立った母かもしれない。枯れゆく野原、衰滅してゆくもののなかにひそむ、いいしれぬ甘美さと切なさに放り出され、わたしは途方に暮れていた。
ほぼ同時期、いくつかの俳句に胸を鷲づかみにされてもいた。

身にしむや亡妻の櫛を閨《ねや》に踏《ふむ》　　与謝蕪村
落葉ふんで人道念を全うす　　飯田蛇笏

霜の墓抱き起されしとき見たり　石田波郷
会へば兄弟《はらから》ひぐらしの声林立す　中村草田男
滞る血のかなしさを硝子に頒つ　林田紀音夫《きねお》

これら俳人の名句とともに川端の句を口遊んでみた。とても小説家の余技とは思えなかった。文豪の心音《しんおん》にじかに触れる気がした。『雪国』『みづうみ』『たまゆら』『掌《てのひら》の小説』などの小説がもたらす感動に、たった十七拍しかない俳句が、質においてけっして劣らぬ感動を呼び起こすことにうたれ、眼を開かされた。高校時代に俳句をはじめたのは、こうした読者としての純粋感動がまずあったからである。ところが何ということか。この句には信じられないレッテルが貼られてしまうのである。

自解に足をとられる

川端の死去から半年も経たずに「川端康成展」が開かれた。高校一年生のこづかいで買った図録が手元にある（『川端康成展――その芸術と生涯』日本近代文学館、一九七二年）。川端がこの句を揮毫した屏風写真のキャプションには「受賞決定の夜の書。「野」と「鈴」とで「ノーベル」になる言葉遊びの句」とある。では、受賞から四十三年後の山梨県立美術館の図録ではどうなっているだろうか。川端文学の研究者が巻頭文を寄せている（以下の引用中の傍点はすべて恩田）。

昭和四三年一〇月一七日の夜、AP通信から最初にノーベル文学賞受賞の報せがあった。つめかける報道陣をさけて書斎に引き取った康成は字を書いた。

　秋の野に鈴鳴らし行く人見えず

などの句だが、康成が

　戯れの句の楽書きではあつても、書は身心を統一し、高静する
（「秋の野に」昭和四三年一二月）

とした戯句であった。「野」と「鈴」、「の・ベル」で「ノーベル」となる。この時の書を魁夷はもらい受け、〈それらを二曲屏風に仕立て、裏に金砂子を撒き、金泥で夕映えの秋の野の意匠を描〉（『美と遍歴　東山魁夷座談集』）いた。康成死後、その屏風は川端家に寄贈された。

（平山三男「川端康成・東山魁夷 二人のめぐりあい」『知識も理屈もなく、私はただ見てゐる。川端康成・東山魁夷コレクション展』発行者、川端香男里・東山すみ、二〇一一年）

ここでも屏風写真のキャプションは同じように、「野と鈴でノオベルと言葉遊びを後日、東山に贈った」となっている。「言葉遊び」ですって。そんな馬鹿な。ネットを検索した。なんと「駄洒落の句」という評言がずらりと並んでいるではないか。では、六千を越える

句歌を収めた『三省堂名歌名句辞典』（佐佐木幸綱・復本一郎編、三省堂、二〇〇四年）や、六百頁余りの『日本名句集成』（飯田龍太ほか編、学燈社、一九九一年）にもあたってみた。やはり未収録である。川端の一ファンにすぎないわが貧しい書架のなかで、この句をひとり真摯《しんし》に受けとめていたのは、意外にもG・チハルチシビリ[1]というロシア人であった。

> ノーベルが残したものと言えば、ノーベル賞のメダルに刻まれた浮き彫りの横顔だけ、すでに百年にわたって鳴りやむことなく響いている鐘の音だけだ。（中略）彼もやはり永遠の巡礼であった。（中略）そしてアルフレッド・ノーベルの最高の墓碑銘を書いたのが、もうひとりの哀れな巡礼、川端康成だった。おそらく川端自身はそんなこととは夢にも思わなかっただろうけれど。カメラマンがノーベル賞のメダルをアップで写したとき私の脳裏をよぎったのは、メダルには『アエネーイス』のもったいぶった引用などよりも、川端の俳句のほうがよっぽどふさわしいのに、という思いだった――この世の栄誉の儚さも、百年前にこの賞の設立を考えついた人のことも思い出させてくれるのだから。
>
> （沼野恭子訳「近代俳句・この一句」『新潮』一九九六年十一月特大号〔「ホトトギス」百年特集「俳句の存在」〕）

チハルチシビリの鑑賞は、名句のなかでは俳句の人称が自由になりかわり乗換《コレスポンダンス》することをはからずも示している。〈秋の野に鈴鳴らし行く人見えず〉が、川端康成という個人名や、仏教の巡礼を超えて、ノーベルの墓碑銘にもなり、ノーベル賞自体の批評にもなりうるとは、一句が詩の勁《つよ》さをもつ証しである。五七五の呼吸のなかにいまも息づく川端のいのちは、新たな読者の自由で豊穣な精神の営みになりかわり水輪をひろげてゆく。ＨＡＩＫＵが世界をつなぐ詩であることを、こんなときにはしみじみと感じるのである。

　ではこの句に「言葉遊び」というレッテルが貼られた原因はどこにあるのだろう。初出はなんと川端自らの最晩年の随筆『竹の声　桃の花』（新潮社、一九七三年）の「秋の野に」のくだりにあった。

秋の野に鈴鳴らし行く人見えず

巡礼の鈴の音が秋の野に聞える。けれども、その巡礼の姿は見えない。木の間にかくれてか、すすきの群れにさへぎられてか。その木の葉は色づき、あるひはすでに落ちつつあるかもしれない。そのすすきの尾花は白く、あるひはすでにほうけて散りつつあるかもしれない。または、巡礼がもう見えぬ遠くに行き、鈴の音だけが「遠音《とほね》さす鐘」のやうに、秋風のなかに消えてはまた聞える、幻のかすかな音なのであらうか。いや、「人見えず」ではなくて、はじめから巡礼の姿など見ようとはしないで、ただ巡礼の振る鈴の音が耳に来るともなく来てゐるただけなのであらうか。今日も巡礼が通つて行くなと思ふほどのこともなくて……。

などと、あやふやな句解きは恥ぢよ。「野に鈴」の「野」と「鈴」とで「ノオベル」になる、言葉遊びに過ぎないのだ。それを「秋の野」と季節に合はせ、「鳴らし行く人見えず」と字数を合はせたのだ。私は即興のこの句を筆で紙に大きい字で書いた。

　前段落は、抒情的な自解をほどこし、後段落は一転して自己を叱りつける自虐的な口調に変わる。これは初のノーベル文学賞の栄誉に日本中が湧き立ち酔い痴《し》れるなかでの打坐《たざ》即刻《そっこく》の受賞吟である。比類ない審美家が手放しの自賛などするはずがなかった。川端は、前後のパラフレーズで絶妙なバランスをとったのである。後段には謙遜ではなく、禅師《ぜんじ》の機鋒《きほう》がひそんでいた。そのほこ先を読み解けなかった後世の国文学者たちは、ノーベル文学賞を受賞した「権威」の断定口調に目眩《めくら》ましにあい、無心に一句に向き合う文学の基本をなおざりにした。こうして、「言葉遊びに過ぎない」という自己韜晦《とうかい》の表層だけがレッテルとなってひとり歩きしていったのである。

　自句自解ほど危ういものはない。そもそも自句を散文で述べられるなら、最初から俳句をつくる必要などない。芭蕉が〈荒海や佐渡によこたふ天河《あまのがわ》〉を、ゴッホが『星月夜』を、ピカソが『アビニヨンの娘たち』を自解した、という話は聞かない。現俳壇で自句自解が流行るのは、俳句が自立していない証拠である。

この句の季語「秋の野」を古歌にたずねれば、『万葉集』は憶良の〈秋の野に咲きたる花を指《および》折りかき数ふれば七種《ななくさ》の花〉にゆきつくかもしれない。〈萩の花尾花葛花《おばなくずはな》なでしこの花をみなへしまた藤袴《ふぢばかま》朝顔の花〉という秋の七草のかぞえ歌は、すでに日本人のこころのふるさとでもあるのだから。

では、美術に眼をやるとどうなろう。色と線とかたちに表された秋の野もまた涯《はて》しがない。焼き物では渥美古窯《あつみこよう》の『秋草文壺《あきくさもんつぼ》』が闇からあらわれ出よう。胎土《たいど》の乾かないやわらかなうちに、太釘で胴いっぱいに伸びやかな風にしなうすすきが描かれた。いや、描かれたというより、三次元のゆたかさですすき野がそこに在《あ》る。壺の端反《はたぞ》りの長い首には平安のもったりとした優美が匂い、刻文《こくもん》の尾花がくったくない風をはらむ。烏瓜《からすうり》ともあけびともとれる蔓草《つるくさ》の実が、緑の自然釉《しぜんゆう》に放恣《ほうし》に垂れ、尾花の背後にひろがるつるべ落としの闇と映り合う。

絵画では俵屋宗達《たわらやそうたつ》の『月に秋草図』屏風（出光美術館蔵）を思う。遠くから眺めると大らかさに欠けるようで、これって宗達なの、といぶかしいが、屏風に身を寄せると、この上なくデリケートな夜の宗達がいるのである。渥美の壺をかざった野放図《のほうず》な秋草や、熟《う》れた木の実とは別趣の、野のいちめんにひろがる月光のひやひやとした感触がひろがっている。宗達は桔梗《ききょう》や萩やすすきの繊細なたたずまいを描きたかったのではなかった。ひとひらの花弁や葉をとおして透明な月かげそのものをあらわそうとした。日本語の「かげ」には、ひかりと影との両義がある。その真意を擁《だ》きかかえる秋草たちである。

『源氏物語絵巻』の現存する全巻が、二〇一五年の初冬、徳川美術館にかかった。川端が戦時中の言論弾圧と翼賛体制の時代に源氏物語を耽読していたことはよく知られている。季語の淵源とされる和歌の季題の主なものは平安後期までに成立していた。季題を「当時の貴族が想定した共通の規範に基づく「共同幻想」である」（宮坂静生『季語の誕生』岩波新書、二〇〇九年）とするならば、まさに『源氏物語』こその渦の眼であり、百年ほど下がるこの『源氏物語絵巻』に季語にこめられた日本の美意識を探ることもできよう。光源氏が紫の上を見舞う「御法《みのり》」の場面をみてみる。前栽《せんざい》は秋草の庭というより、秋の野がそのまま、寝殿造の居住空間に溶けこんでしまったよう。自然は渺茫《びょうぼう》と絵巻の天地にひろがり、すべてを包みこんでいる。源氏と紫の上にとって、すすきや女郎花はもはやみるものでも眺めるものでもない。それはすでにみずからの運命と一体になったまぎれもないけはいなのである。

ノーベル文学賞受賞当夜の川端の即吟《そくぎん》に、少女のころ感じたあの切なさは、歳月とともに質を変えていった。

「秋の野に」と、季語をうけとめる切字としてつかわれた助詞の「に」は、まるで底無しなのだった。「に」一字に、憶良も源氏も渥美古窯も宗達も、あらゆるものを包みこむはるかな時空が溶かしこまれていた。中七の「鈴鳴らし行く」、にもほんの小さな切れがあり、ほそみちをふっと曲がる屈折感は、座五「人見えず」で打ち切られる。白く明るい秋の野は山《やま》陰《ほと》に翳《かげ》り、一人の巡礼のシルエットは掻き消えてしまう。鈴の音だけが澄んで胸奥《きょうおう》にひびく。幽明境《さかい》を異《こと》にするという。この世という眼に見える世界から、あの世という眼に見えない世界へと、白装束がすうっと消えてゆく余韻につつまれる。これは幽明界つづれ織の名句なのだ。

秋の野は末枯《うらが》れてゆく世の端《はし》である。老境を前にしたいま、いっそう幽《かす》かに鈴音はひびく。人里からすでに遠い巡礼の道。巡礼とは芸術にいのちをかける求道者のまたの名、川端の自画像でもある。栄誉の虚しさをほのめかしつつ、ノーベル賞に騒ぐ俗世をやさしくなつかしむ。ここにはあの「末期の眼」が徹っている。句の底に、生と死をつつむほのかなぬくもりが匂い出す。

季語の背後には共同体のうけとめてきた風土の自然がひろがる。季語はその風土をともにしてきたはらからの文化習俗と共感の源である。そこにはぐくまれる共同幻想は心身の滋養の地である。そのとき季語は俳諧精神がいのちを託す発光装置となる。季語は「われ・ここ・いま」という近代の個人主義を最初からぬけ出している。これらを踏まえ、季語の淵源には祈りと呪の泉、詩の六義《りくぎ》の「興《きょう》」があることを明らかにしてゆこう。

II　興の再生

ヌタ場に取巻かれ

けものはのさばり、人間は小さく。それが茅屋のくらしである。ところが、ある晩の散歩。家から百メートルとゆかないうちに四つ足の一行と鉢合わせてしまった。

「ヒャアー」

灰色の砂けむり。おかあさん猪と瓜坊《うりぼう》三頭、いちもくさんに山へ消えて行った。

「けもののほうが怖がる」

友だちに冷やかされた。でも、かれらは涸川《かれがわ》の床、わたしは川沿いの道を歩いていたのです。背丈ほどの段差に助けられただけ。あとでみると小川の石くれに、踏み跡が真っすぐ通っている。猪道《ししみち》だ。おかあさんを先頭に、半分ほどの背丈の子どもらが静かに一列に歩いてくるさまがよみがえった。そこには山河に身一つで生きるものの森厳《しんげん》な姿があった。

今日は裏山の春筍《しゅんじゅん》が食べたくなり、帰省中の次男に筍《たけのこ》掘りを託した。健闘の成果は、湯呑の大きさが、たった一箇。

「剝《む》きたての筍の皮がやたら散らかってるよ。おとといくらいかな」

「またぁ。おいしいもの、みんな食べられちゃうね。さつま芋もやられたし」

猪は秋の季語で、猪鹿蝶《いのしかちょう》の花札の絵でもなじみぶかい。でも、ほんものは月を背に萩の花かげにたたずむ風流なシルエットとはかけ離れている。

秋の訪れとともに、夜更けに一人本を読んでいると、窓辺に恋人の息づかいが近づいてくる。

「ブフッ」

網戸を隔てた闇から、一年ぶりの鼻息である。翌朝、戸を開けると、裏庭はヌタ場に一変。こげ茶色のベタ土が躍り狂う。まるで嵐の海。家族連れなのだろう。からだについた虫を泥で落とした天然の猪風呂《ししぶろ》があっちにもこっちにも出来あがっている。子どものころつくりたかった立派な落とし穴だ。ウットリため息が出る。大地との豪快な喜遊。ははーん。もしかしたら縄文人はあの火焔型土器の造形を、水や火や草木や禽獣だけから発想したのではないかもしれない。この天地の祝祭のような「猪のヌタ場」からもインスピレーションを受けたのでは。天界が奔放に耕していったうねり狂うヌタ場を歩くのはわりかし好きだ。からだの軸がゆっさゆっさ揺さぶられる。

　とはいいながら、猪はりっぱな害獣である。日本の林業は安価な輸入木材に駆逐されて衰退し、山が荒れた。わが谷間の町内からも猟師がいなくなった。鹿や猪や猿の天国に近づきつつある。背戸にはときどき羚羊《かもしか》までもが、のんびりとやってくる。

　つい先だって、川の上流に住む婦人からこんなことを聞いた。夕方家に帰るとき車に猪が激突して来た。車は大破。猪はもんどり打ってガードレールの下へ転がり落ちていった。翌朝、町内会長と現場を見に行った。茶畑の真ん中に巨体が横たわっていた。血がまわった猪《しし》肉《にく》は一文にもならず、彼女はムチウチでリハビリ通院の憂き目をみた。対人保険に猪は入っていなかった。

　日本では縄文晩期頃、中国では西周期に『詩経』の雅《が》や頌《しょう》が産声をあげていた。風《ふう》（国風）

の「召南」にこんな詩がある。近ごろのわが町内の願いをそっくり代弁する一篇である。

騶虞《すうぐ》　　騶虞さま

彼《か》の茁《さつ》たる者《もの》は葭《あし》　みどりさばしり角組《つのぐ》む蘆《あし》よ
壹發《いっぱつ》にして五豝《ごは》　一矢にしとめん猪《しし》五頭
于《あ》嗟《あ》乎《あ》　騶虞《すうぐ》よ　ああ、われらが神騶虞《すうぐ》さま！

（『詩経国風　上』吉川幸次郎注、中国詩人選集一、岩波書店、一九五八年）（恩田意訳）

といっても、この詩は一網打尽を狙うチャッカリやさんでも、狩猟の解禁を告げる町内の回覧板でもない。じつは、ここには広やかで深い「興《きょう》」の精神がこめられている。

『詩経』にみる「興」の普遍性

孔子が編纂にかかわったとされる『詩経』は、『史記』「孔子世家」以来、儒教的な礼の道にかなう君子の養成に資する有用な書物であった。たとえば、『詩経』の「毛詩大序《もうしだいじょ》」でも「鵲巣騶虞《じゃくそうすうぐ》之徳、諸侯之風也。先王之所以教（鵲《かささぎ》の巣から騶虞までゆき渡った徳は、諸侯によるる教え導きの成果であり、先王の教化によるものである）」と述べる。『詩経』は儒教政治に役立つ解釈によって、長らく中国の教育文化の伝統を形成してきたのである。

　ところが、こうした儒教の教科書的な解釈を一新する創見の書が著された。フランスの社会学者にして民族学者マルセル・グラネ（一八八四〜一九四〇）による『中国古代の祭礼と歌謡』（仏語原著、一九一九年。平凡社東洋文庫、一九八九年）である。グラネは儒教道徳という色眼鏡から『詩経』を解き放ち、古代中国人の詩の源泉の感情をあぶり出してみせた。とくに『詩経』の「国風」にある黄河流域の地方歌謡に焦点を当て、そこに「恋愛歌であって、忌憚なき感情が吐露されて居る」と、土俗歌謡と恋歌の抜き差しならぬ結びつきを掬い上げてみせた。これは大きかった。共同体の季節的な慣習と儀礼から生まれ出た歌謡の底に、民衆一人ひとりの恋愛感情の根がつながっていることを洞見したのである。そこからみちびかれた「恋愛詩が、たとえそれが個人的なものとなって居ても、歌謡の原始芸術を保存する」という洞察こそ、世界文学史上にうち樹《た》てられたグラネの黄金の功績である。卓論は日本の熱心な研究者にも受け継がれ、深められていくことになった。

　赤塚忠《あかつかきよし》(2)によれば「騶虞《すうぐ》」の騶《すう》は山辺の猟場であるやぶ沢であり、虞《ぐ》は猟場の守り神である（『詩経研究』赤塚忠著作集五、研文社、一九八六年）。さらに水辺の「葭《あし》」は、願わしいものを招き寄せる呪力をもつ神の依代《よりしろ》である。一篇は、「毛詩大序」の諸侯や先王という帝国のガバナンスの視点とは次元がちがう、同一信仰の共同体の切実な祈りから発しているという。これは猪に作物を荒らされる半農半猟の民が、おいしくて滋養にも富む猪猟のゆたかな収獲を祈った共同体の降神歌謡であり、「抒情的歌謡の最も素朴なもの」であるというのである。大事なのは、「彼《か》の茁《さつ》たる者《もの》は葭《あし》」が見たままを写した自然描写ではなく、共同体が神に祈る呪文の「興《きょう》」の詞《ことば》であることである。興詞《きょうし》とは、草木鳥獣虫魚から衣服に至るまで、祭礼や習俗における吉祥を象徴する呪詞《じゅし》であり、つねに迎神歌や降神歌とともにあるものであった。

この神に対する崇敬と思慕の感情は濃密な恋愛感情とも密接だった。「古代には、神への願望は、恋愛歌の形をとった。それが最も痛切・深厚な誠意の表明であった」のである。その恋愛感情は共同体の子孫繁栄の祈りともメビウスの輪のようにつながる。グラネの明察の射程は甚深であった。

『詩経』の恋愛歌の名作を抽いて拙訳をこころみよう。

葛生《かっせい》（唐風）　　真葛《まくず》が原

葛生蒙楚　　花茨《いばら》を覆いたける葛
蘞蔓于野　　野にからみつく藪枯らし
予美亡此　　いとしい人はもういない
誰與獨處　　寝ても醒めてもただ一人

葛生蒙棘　　野茨《のばら》くらませしげる葛

蘞蔓于域
予美亡此
誰與獨息

角枕粲兮
錦衾爛兮
予美亡此
誰與獨旦

夏之日
冬之夜
百歳之後
歸于其居

冬之夜
夏之日
百歳之後
歸于其室

墓にからまる蘞枯らし
いとしい人はもういない
寝ても醒めてもただ一人

角《つの》の枕はしらじらと
錦《にしき》の褥《しとね》きらびやか
いとしい人は墓の下
だあれもいない朝が来る

灼《や》けつく昼と
冬の夜と
死んだらやっと
帰りつく

凍える夜と
夏の日と
むなしく過ごす百年《ももとせ》の
のちに同穴《どうけつ》かなうのね

（『詩経国風　下』吉川幸次郎注、中国詩人選集二、岩波書店、一九五八年）（恩田意訳）

恋しい死者をおもう感情は時代も国も民族も問わない。しかし、大陸の山河の遼遠を思うとき、この「葛生《かっせい》」にうたわれた終生の孤閨《こけい》はいっそう荒涼と痛ましい。日本の能の「定家」を連想させる凄愴《せいそう》な恋情である。漱石にも『夢十夜』第一夜があり、フランスには十九世紀末、リラダンの『残酷物語』「ヴェラ」があった。しかし、死に引き裂かれた情念が、ひとり個人の抒情に還元されて終わらないのが漢詩のふところの深さでもある。一周回って、この詩に注釈されてきた戦乱による世の荒廃を諷喩《ふうゆ》する美刺《びし》としての儒者の解釈もまた、軽々に一蹴すべきではないと思われてくるのである。「古注では武公の子、献公(3)姫詭諸《ききしょ》が、戦争ずきのため、戦死者逃亡者が多く出た。それら戦争未亡人ないしは未帰還者の妻が、夫をしのんでの詩とする」と吉川幸次郎は解説する。

こうした多義性を帯びる「興」を、西洋の「隠喩《メタファー》」に単純に置き換えることはできない。漏れていくものが多すぎる。中国古代の民衆が春秋戦国時代に入る前からつちかってきた批判精神と一体のものを、西欧詩の技法である洋箪笥の一段に整理するのは無理な話である。興詞は、個人の抒情に終始しない。さらにひろやかな風土性と共同体の祈りを帯びている。

極東の山野を覆ってきた葛はいまや北米のカナダにもはびこる。時を超えて詩の絵巻を広げる俳句には、二十六歳で夭折した芝不器男《しばふきお》(4)（一九〇三〜一九三〇）の名品がある。

あなたなる夜雨の葛のあなたかな　『不器男全句集』

つるべ落としの闇にひやひやと雨が来る。路辺に甘やかに匂った花はぶどう色に踏みしだかれ、野道の脇いちめんを覆い尽くす葛の葉が、夜来の風に白い葉うらをみせる。利休ねずみの雨が降る。おやみない秋雨、おもたげな真葛原の遠い果てにふるさとはある。作者はみちのくから伊予の郷《くに》を思いやる。そこにはいつ帰るともしれない自分をいまかいまかと待ちわびるひとがいる。闇にうかぶ俤《おもかげ》は母なのか、初恋の女性なのか。ひとはふるさとを、愛するひとを求めずにはいられない。「あなた」のリフレインのひろげる時空は果てしない。人間感情のおもやいの大陸をいつまでも秋の雨のようにたゆたってやまない俳句である。

わたしは、「俳句はこの世という命の総体への反歌《はんか》である」という「俳句反歌説」を唱えてきた（「未来につなぐ歴史的仮名遣い」『余白の祭』深夜叢書社、二〇一三年）。この句には、個人の抒情を超えて、葛の生い茂る山あり谷ありのこの世への呪的な反歌の匂いが立ちゆらぐように思われる。なつかしいふるさとの山河よ、あたたかい人々よ、どうかいつまでもやすらかでいてください。しずかな声調に「興」の精神の地下水が脈打っている。

俳句と興の精神

ではここで、季語とは何かを改めて考えてみよう。現在の季語は、和歌や連歌の伝統をひく季の詞《ことば》からくる竪題《たてだい》季語と、江戸時代の俳諧以降の横題《よこだい》季語とからできている。『俳文学大辞典』（角川学芸出版、二〇〇八年）によれば、「季題」ということばは「新声会の森無黄を中心に『卯杖』明治三六（一九〇三）年六月号から用いられ始めた（ただし、無黄らの用法においては季語との区別は必ずしも明瞭でない）」とある。一般には、「明治四十年十二月十日、河東碧梧桐《かわひがしへきごとう》が初めて使い、季語は明治四十一年十二月に大須賀乙字が初めて使った」（志田義秀「季題概論」『俳句講座』改造社、一九三三年）とされてきた。

　現代では季語と呼ぶことが多く、伝統俳句協会系では季題という。ともに、この極東の島国に住みなす人々が孜々《しし》としてつむいできた文化習俗と共感の泉であることに変わりはない。歳時記は新年・春・夏・秋・冬の五季に分かれ、時候・天文・地理・生活・行事・動物・植物の七つの部立てからなる。それは日本列島に住みなすわたしたちの生活の紐帯《ちゅうたい》として生き続けてきた。さらにいえば季語は記憶の宝庫であり、共同幻想のゆたかな母胎でもある。

　季語は俳句におけるアフロディテを生み出す汀《なぎさ》なのだ。日本の自然は、多彩な変化に富み、「あらゆる現象の国」といわれる（フランスの日本思想家、コレージュ・ド・フランス教授 ジャン＝ノエル・ロベール[5]氏講演会談）。除草剤で土壌を汚染したくなければ、絶えず雑草を引き抜かなければならない国。過酷な天変地異に絶え間なく襲われる国。微妙で繊細なこのありとあらゆる現象の国では、かえって饒舌に説明する叙事的な「頌《しょう》」の手法より、季語にものごとや感情を託して余白を響かせる「興《きょう》」の手法が尊ばれてきたのである。

　この国では、なににつけ、し尽くし、いい尽くすことは美ではなかった。野暮である。侘び茶の創始者利休が、露地をいったんきれいに掃き清めたあと、ぱらぱらと落葉を散らした逸話は有名である。十七拍しかない俳句では、説明や叙述をすること自体が不粋である。いい得ぬ情《こころ》は季語にまかせよう。そこに生まれる余白の美は茶の湯と同根である。

約五千年前の縄文火焔型土器も、自然の見たままの写実ではない。再現主義ではないのだ。炎や波の造形は木や鳥の姿を暗示しつつ、ときには蛇になり、人面や腕《かいな》に変容してやむことがない。具象と象徴を自由にゆき来する形態の緊張感は、原生の照葉樹林を歩むときの、あのめくるめく豊穣感に似ている。『万葉集』の草摘みにも予祝《よしゅく》や魂振《たまふ》りの呪《じゅ》がある。さらに上代をさかのぼれば、はるかな無文字時代の皮膚感覚や身体感覚の記憶の豊穣がひろがっていよう。万葉仮名の成立よりはるか古代のそうした感覚が、茅屋のまわりを跋扈《ばっこ》する猪の鼻息や、初夏《はつなつ》を告げる三光鳥《さんこうちょう》のふくよかな声と姿態によみがえってきていた。都市は強いようで、もろい。地震や津波や台風や、あってはならないが戦火によって、一夜で野となる。人類が地球にのさばり出したのは、この星の歴史からすれば瞬目《しゅんもく》の間《かん》にすぎない。

日本では、歳時記の始まりは連歌の季寄せといわれる。雪月花に夏の時鳥、秋の紅葉をくわえた五箇の景物はまさにそこにさだまった。さらにさかのぼれば、『万葉集』『古今和歌集』の春秋の部立てや、四季の草木虫魚をうたったそれぞれの歌にまでゆきつこう。が、歳時記の真の濫觴《らんしょう》はどこにあるのだろう。それは日本の古典文学にはおさまりきれないのではないか。文字を習い、文化の根底から裨益《ひえき》された大陸の文化にゆきつかざるを得ないだろう。支那も天竺も文化の根は遥遠《ようえん》である。

中国では六世紀の『荊楚《けいそ》歳時記』をさらにさかのぼる紀元前に、『呂氏春秋《りょししゅんじゅう》』の十二紀、『礼記《らいき》』の月令《がつりょう》、『淮南子《えなんじ》』の時則篇など、現在の「歳時記」の原型といえるものが登場していた。わたしは俳句をつくるなかで、季語の共同幻想が平安時代にほぼかたまったという定説に疑問を感じ始めていた。グラネならずとも、竪題季語の奥に、共同体の季節的な習俗や儀礼と民衆の恋愛感情と、それらを生んだ祈りに密接したなまなましい季の詞《ことば》が靉靆《あいたい》と渦巻いていることを感じざるを得なかったのである。

そこには春季だけでも、魚氷《うをひ》に上る・獺魚《かはうそうを》を祭る・鷹化して鳩となる・龍天に登る・踏青・摘草・啓蟄、など、中国古代に直につながる季語はいうまでもなく、梅・桜・蘆の芽・茅花など、祈りと呪を帯びた数限りない興詞《きょうし》、いわば「興題季語」が、渾然と層をなして横たわっていた。

だが、淵源には中国古代の文化習俗があるとしても、わが国の文化は花綵《かさい》列島ならではの芳醇な発達と成熟を遂げてきた。季語は身体と環境をつなぐことばである。そこに俳句という「身《み》と環《わ》の文学」（拙著『余白の祭』）が生まれた。季物を俳句に詠み味わうことによって、いのちは活性化される。「歳時記」に並ぶ季語は、どれも絵巻のような水平関係にあり、そこに上下のヒエラルキーはない。一つひとつの季語にはそれと気づかせないが、興の地下水が流れているのである。

グラネの示唆はこうして日本の「歳時記」にも重なってくる。「恋愛詩が、たとえそれが個人的なものとなって居ても、歌謡の原始芸術を保存するものであるということを簡略に述べて見ようと思って居る」（グラネ「詩経の恋愛歌」『中国古代の祭礼と歌謡』）とした記述から思い出される一句がある。

かにかくに逢へばやすらぐ花《はな》柚《ゆ》の香　　野澤節子『鳳蝶』

句頭の「かにかくに」にこらえきれぬ情念が迸《ほとば》しる。そばにいたい。声が聞きたい。寝ても覚めてもそればかりだった。自分が自分でなくなり、理性はなんの役にも立たなくなった。待つだけの日々をどんなに重ねたことか。いま、そのひとが目の前に夢のように立っている。一度でいい。つよく抱きしめられたかった。でも、こうして向き合えば、もうなにもかもが満たされてしまう。柚《ゆず》の花は天上の香をふらせるばかり。シトラスの香りの籠と化した初夏《はつなつ》の蒼穹《そうきゅう》は、ひとときの逢瀬《おうせ》を永遠に変える。空の香りに、安らぎと切なさ、出会いの奇跡がとける。この「花柚」は、もはやたんなる季節感ではない。興の祈りに触れていよう。『万葉集』にもこんな歌があった。

橘《たちばな》の蔭《かげ》履《ふ》む路《みち》の八衢《やちまた》に物をそ思ふ妹《いも》に逢はずて　　三方沙彌《みかたのさみ》

人々がゆきかい賑わう辻の地べたに、芳《かぐわ》しい橘の緑の葉のかがやきと影とが落ちる。初夏のひかりのなかに踏み迷って、うつつには逢えないひとを恋い慕う。五月の日差しと影の物狂おしさをこれほど清冽に表現した歌をほかにしらない。
柑橘系の芳しさは、高潔なたましいへの憧憬につながる。東洋最古の詩人、屈原《くつげん》はその若き日、「橘頌《きっしょう》」一篇をうたい、橘をみずからの志操の鑑《かがみ》として生き切ったのだった。

橘頌《きっしょう》

后皇《こうこう》の嘉樹《かじゅ》
橘《たちばな》徠服《らいふく》す
命《めい》を受けて遷《うつ》らず
南国に生ず

深固《しんこ》にして徙《うつ》し難く
更《さら》に志《し》を壱《いっ》にす
緑葉素栄
紛《ふん》として其れ喜ぶ可《べ》し
……

橘をほむ

あめつちの美《よ》みし樹なれば
しとやかに花橘は
ここに根付きぬ
天のさだめし楚の国に

その根のふかくどこまでも
ひとすじにもつこころざし
みどりの照葉、白い花
はつ夏の香を神とよろこぶ

（読み下し、黒須重彦『楚辞』「九章」より、学習研究社、一九八二年）　（恩田意訳）

この詩はたんに橘というミカン属の植物の美を写生したものではない。屈原は、人間精神の高潔を天上の神々にではなく、地上の植物に見たのである。それもいとも芳しい橘の白い花と緑の葉に。「興」は、黄河流域の歌謡『詩経』に初めて登場したが、その精神と技法の一部は、長江流域の『楚辞』にも流れ入ったのである。『楚辞』は、楚の神話的な伝承歌の土台に、屈原という大詩人の魂が二千年の時空を超えて芳香を放つ東洋最古の個人名を負う詩集である。醇乎《じゅんこ》として晴朗《せいろう》な橘の「緑葉素栄《りょくようそえい》」。そのみどりのつややかな葉と白く清らかな花は、いのちの呪力であり、屈原の庶幾《しょき》する自画像に重なる。

こうしてわたしたちは、自然とわれとの一体化を願う東洋の情《こころ》のみなもととして、揚子江の照葉樹林文化帯に位置する楚の国の屈原という原初の詩人に逢着するのである。ひろく東洋人は、唯一絶対神ではなく、山川草木鳥獣虫魚を胸奥《きょうおう》の鑑としてつつましく暮らしてきたのではなかろうか。

小さな橘の実に精神の高潔を見た屈原は、さらに感情の豊潤な沃野を「離騒《りそう》」に刻んだ。橘の緑葉素栄は寸土に跼蹐《きょくせき》して終わることはなかった。幻想の壮大な時空をかけめぐるのである。屈原は現実社会の困難と、詩の志とのあいだに引き裂かれながらも、豊麗な美をうたうのを辞めなかった。最期まで自然と一体化しようとした。大国の政治の行く末を案じ見通す明知は、同時に藤袴《ふじばかま》や橘の実の香りに襟を正したのである。屈原の廉潔《れんけつ》こそ、東洋の詩における源泉の感情ではあるまいか。そしてそこに息づく「興」の精神こそ、困難な時代のわたしたちが新たに掘り起こすべきゆたかな泉ではなかろうか。

著す書物がことごとく世界的なベストセラーになっているイスラエル生まれの歴史哲学者ユヴァル・ノア・ハラリ（一九七六〜）も、「ことによると私たちはさらに時間をさかのぼり、古代の宗教伝統の泉から希望と叡智を汲み出す必要があるかもしれない」（『21 Lessons——21世紀の人類のための21の思考』柴田裕之訳、河出書房新社、二〇一九年）という。「興」を古代文学の詩の一技法として葬り去るのは、あまりにももったいないのである。

『詩経』と『楚辞』から「興」の詩を実地にみてきたいま、今度は「興」を取り上げた主だった散文を通覧しよう。そうした中国古典を三つあたった後で、わが『古今和歌集』をみることにしよう。

ではまず、『詩経』の「毛詩大序」から「興」にいたる部分を読んでみよう。とくにこれが日本の『古今和歌集』で説かれる詩の六義の典拠となった文章であることに注意したい。

詩は志《こころざし》の之《ゆ》く所《ところ》なり。心に在るを志と為《な》し、言《げん》に発するを詩と為す。情中《じょううち》に動いて言に形《あらわ》る。之《これ》を言いて足《た》らず、故《ゆえ》に之を嗟嘆《さたん》す。之を嗟嘆して足らず、故に之を永歌《えいか》す。之を永歌して足らず、手の之を舞い、足の之を踏むを知らざるなり。

情声に発し、声文《あや》を成す。これを音《おん》と謂う。治世の音は、安らかにして以《もっ》て楽し。其の政和すればなり。乱世の音は、怨みて以て怒る。其の政乖《そむ》けばなり。亡国の音は、哀しみて以て思う。其の民困《くる》しめばなり。故に得失《とくしつ》を正し、天地を動かし、鬼神を感ぜしむるは、詩より近きは莫《な》し。先王《せんおう》は是《これ》を以て夫婦を経《ただ》し、孝敬を成し、人倫を厚くし、教化を美《よ》くし、風俗を移す。
故に詩に六義《りくぎ》有り。一に曰《いわ》く風《ふう》、二に曰く賦《ふ》、三に曰く比《ひ》、四に曰く興《きょう》、五に曰く雅《が》、六に曰く頌《しょう》。
（『詩経』、『文選　下』竹田晃・戸川芳郎・佐藤保編、中国の古典二四、学習研究社、一九八五年所収）

ことに最初の三行は読むたびに胸に迫る。詩歌の心臓ここにあり、の名文である。現代文にすれば、「詩は志のおもむくところを言葉にすることであり、感情が動いてあらわれ出るが、言ってもなお言い得ぬものがあって詠嘆する。詠嘆してもなお足らず、声をながく曳いてうたわずにはいられない。朗唱してもなお足らず、いつのまにか手は舞い足はひびきを踏んでいるのである」となろうか。人間の感情と表現の原初の発動を摑んでいる。詩と歌謡、詩と歌舞の分かちがたさにも注目したい。興は詩の六義のなかで四番目に挙げられている。

次に、中国文学史上最大の文芸評論家、六朝時代梁の劉勰《りゅうきょう》（四六六頃〜五三二）の著、『文心《ぶんしん》雕龍《ちょうりょう》』をみてみたい。劉勰は『詩経』の六義のなかで、ことに興を称揚した。「第三十六章比興」をあげる。

『詩経』の内容は深遠で、その中に詩の六つの原則（六義）を包摂しているが、毛公《もうこう》は注釈を書くに際し、ことに「興」を大きく取り上げている。それは恐らく六つの中で、「風」は教化と諷刺に通じ、「賦」（直叙）はすべてを等しく客観的に描写するという明確な概念規定があり、また「比」（直喩）は性格が明らかなのに、「興」だけが模糊としているからであろう。「比」は「附《ちか》づける」意、「興」は「起こす」意である。論理的に「附《ちか》づける」には、同類項で整理しつつ事態を説明し、心情を揺り「起こす」に際しては、心の微妙な襞《ひだ》にそいつつ思考をまとめあげる。心情を揺り「起こす」ことから「興」が生まれ、論理的に「附《ちか》づける」ことから「比」が始まるのだ。（中略）

「興」の諷喩の方法は、婉曲だが筋が通っており、小さな具象の属性から、大きな抽象的意味を摘出してくる。（中略）

楚の襄王《じょうおう》は讒言《ざんげん》を信じて屈原《くつげん》を追放したが、屈原はあくまで誠実に国を愛して、『詩経』に依りつつ『離騒《りそう》』一篇を歌いあげ、諷喩の技法には「比」「興」をない合わせて用いている。漢代は隆盛を極めた時代であったが、詩人は柔弱に流れ、『詩経』の批判精神が喪失した結果、「興」の意義も忘れられてしまった。詩に代って賦や頌が勝ちどきをあげ、「比」の使用はさながら雲の湧き出る勢いで、紛然として混乱におちいり、古典の初心にもとるに至ったのである。

（興膳宏訳「文心雕龍　第三十六章　比興」、『陶淵明・文心雕龍』世界古典文学全集二五、筑摩書房、一九六八年所収）

ここでとくに押さえておきたいのは、「興」は外界に触発されて内奥《ないおう》から揺り起こる感情《エモーション》であり、それを直接描写したり説明したりしない隠喩《メタファー》に近く、微妙な感情の泉を涌き立たせるということである。さらに大切なのは、興を批判精神と一体の詩精神の本丸に位置づけたことである。それは「婉曲だが筋が通っており、小さな具象の属性から、大きな抽象的意味を摘出してくる」という文学として構えの大きい他にはない特質をもつものとする。

ここに言及されている「賦」が、千数百年後の日本で、高浜虚子が唱導した「客観写生」や「花鳥諷詠」によく似通うことも興味深い。さらに詩人が柔弱に流れるとき、「興」の文学的意義は忘れ去られるという指摘は、まるで日本の現俳壇への批評のよう。古典は日々、鋭く新しい。

劉勰は当代の文学が興をおろそかにして、「賦」（直叙）や「比」（直喩）に走ってゆくのを嘆いたのである。危機意識はいかなる時代にあっても詩の根源にある批評精神を研ぎ澄まさずにはおかない。劉勰在世中の宮廷サロンは「詠物」の詩が盛んであった。それは現在の日本でもよく行われる短歌や俳句の「題詠」や「兼題」の起源である。詠物や題詠という手法は、修辞を磨き洗練させる効果をもつ反面、生き身のナマな風光や、たった一度の切実な感動や、生活のはつらつとした躍動感を失いやすい。劉勰はそうした文学衰退の危機感から筆を執ったのである。

梁の同時代の文学論では『文心雕龍』から十数年後に登場した鍾嶸《しょうこう》（四六九頃～五一八頃）の『詩品』が名高い。そこで興は、比や賦とともにこう説かれる。

故《ゆえ》に詩に三義有り。一《いっ》に興《きょう》と曰《い》い、二に比《ひ》と曰い、三に賦《ふ》と曰う。文已《ぶんすで》に尽きて意余り有るは、興なり。物に因《よ》りて志《こころざし》を喩《たと》うるは、比なり。其の事を直書《ちょくしょ》し、言《ことば》に寓《よ》せて物《もの》を写すは、賦《ふ》なり。斯《こ》の三義《さんぎ》を宏《ひろ》め、酌みて之《これ》を用《もち》い、之に幹《みき》とするに風力《ふうりょく》を以てし、之を潤すに丹彩《たんさい》を以てし、之を味わう者をして極《きわ》まり無く、之を聞く者をして心を動かさしむるは、是れ詩の至りなり。若《も》し専《もっぱ》ら比興《ひきょう》を用うれば、則《すなわ》ち患《かん》は意の深きに在り、意深ければ則ち辞《じ》躓《つまず》く。若し但《た》だ賦体《ふたい》を用うれば、則ち患は意の浮くに在り、意浮けば則ち文散《ぶんさん》ず。嬉《たわむ》れに流移《りゅうい》を成さば、文に止泊《しはく》無く、蕪漫《ぶまん》の累《るい》有り。

（荒井健・興膳宏『文学論集』中国文明選一三、朝日新聞社、一九七二年）

ちなみに『詩経』の「毛詩大序」以来ひとくちに詩の六義といわれるものは、じつは内容上の区分（風《ふう》・雅《が》・頌《しょう》）と、表現技法上の区分（賦《ふ》・比《ひ》・興《きょう》）という別々の範疇をないまぜにしたものである。この『詩品』では、後者の技法上の区分だけを三義として弁別して論じているわけである。

「大序」では賦・比・興の順であったが、ここでは興・比・賦と逆の順序となり、興が詩の技法の筆頭におどり出、重要視されていることがわかる。「文《ぶん》已《すで》に尽きて意余り有るは、興なり」と、ことばは終わっても余白に情趣がひびく修辞法を「興」としている。「毛詩大序」で「之を言いて足らず、故に之を嗟嘆す、之を嗟嘆して足らず」といわれた詩の核心が興であることを見抜き、興の余情や余韻こそが詩のレーゾンデートルであることを明らかにしたものである。この「意余り有る」が、余白の芸術、俳句のきもになることを思うと、劉勰や鍾嶸を詩精神の潺々《せんせん》たる源に位置づけたくなる。

では次に、日本文学史上で初めて六義の「興」が登場する『古今和歌集』「仮名序《かなじょ》」（日本古典文学大系八、岩波書店、一九五八年）の冒頭から六義に至るくだりを抽いてみよう（和語に翻訳された六義の箇所に筆者が傍点を振り、もとの漢語を注す）。

やまとうたは、ひとのこゝろをたねとして、よろづのことの葉とぞなれりける。世中にある人、ことわざしげきものなれば、心におもふことを、見るもの、きくものにつけて、いひいだせるなり。花になくうぐひす、みづにすむかはづのこゑをきけば、いきとしいけるもの、いづれかうたをよまざりける。ちからをもいれずして、あめつちをうごかし、めに見えぬ鬼神をも、あはれとおもはせ、おとこ女のなかをもやはらげ、たけきものゝふのこゝろをも、なぐさむるは歌なり。（中略）

そもそも、うたのさま、むつなり。からのうたにも、かくぞあるべき。そのむくさのひとつには、そへうた（風）、おほさゝぎのみかどを、そへたてまつれるうた、

なにはづにさくやこのはな冬ごもり
いまははるべとさくやこの花、といへるなるべし。

ふたつには、かぞへうた（賦）、

さくはなにおもひつくみのあぢきなさ
身にいたづきのいるもしらずて、といへるなるべし。

みつには、なずらへうた（比）、
　きみにけさあしたの霜のおきていなば
　こひしきごとにきえやわたらん、といへるなるべし。
よつには、たとへうた（興）、
　わがこひはよむともつきじありそうみの
　はまのまさごはよみつくすとも、といへるなるべし。
いつゝには、たゞごとうた（雅）、
　いつはりのなき世なりせばいかばかり
　人のことの葉うれしからまし、といへるなるべし。
むつには、いはひうた（頌）、
　このとのはむべもとみけりさきぐさの
　みつばよつ葉にとのづくりせり、といへるなるべし。

こうして中国と日本の古典を併読してみると彼我《ひが》の差が明瞭になって面白い。両者の主なる異同を次にまとめてみよう。

共通点

一、「大序」の「天地を動かし、鬼神を感ぜしめる」の部分は、「仮名序」の「ちからをもいれずして、あめつちをうごかし、めに見えぬ鬼神をも、あはれとおもはせ」にそっくり重なる。「大序」の鬼神は死者の霊であるので、文章が現実はもとより虚をうごかし、虚とつながるものであるとする共通の認識がみられる。

相違点

一、「大序」は詩は為政者による感化、教化であり、得失《とくしつ》を正し、道徳風俗を正す社会的機能の他に、もうひとつ、心にある志や感情をことばにして感嘆し永歌し手足まで舞う二つの側面が在るとした。その地脈から「文章は経国の大業にして、不朽の盛事なり」という中国最古の文学評論『典論』（魏の文帝〔一八七～二二六〕）の言挙げも出てくる。一方、『古今和歌集』「仮名序」からは前者のガバナンスの視点や批評精神が欠落し、後者の情緒や感情のうたという一面のみになったこと。

二、「仮名序」では、やまとうたを鶯《うぐいす》や蛙の声と並べている。ここに『涅槃経』に由来し、のちに天台の如来蔵《にょらいぞう》思想を享けて室町期の謡曲にも頻出することになる草木国土悉皆成仏の思想の胚胎がみられること。

三、「仮名序」は詩の六義を、そへうた（風）、かぞへうた（賦）、なずらへうた（比）、たとへうた（興）、たゞごとうた（雅）、いはひうた（頌）と、やまとことばにかろうじて翻訳したが、比と興の差ははなはだあいまいで、理解の浅さを露《あらわ》している。本来の「興」のもつ、共同体（風土）に根づく誕生と豊穣の祈りや、隠喩による健全な批評精神をとりこぼしたこと。

先に引いた鍾嶸の『詩品』によれば、ことがらをありのままに記し、ことばに託して物を描く直叙の「賦」は、見たままの再現主義になりやすい。さらに賦を多用すると意味は浮薄に、表現は散漫になりやすい。物にことよせて志を喩える直喩の「比」は事実の周りにその眷属《けんぞく》を加えるごとしである。

いいえないものを表す隠喩の「興」は、西洋の象徴詩に重なるところがあり、目に見えないものを鼓舞してやまない。興の俳句は読み手にたいして「ここにあなたのいのちの酒を満たして」とささやく。それは、声なきものたちや、死者や、未来のひとととともに、読み手の内奥に新しいエネルギーをそそぎこむ。興はモノローグではない。作者と読者の想像力の内実を足元からゆり起こす。そのとき、身幅から立ち上がる小さな俳句に大きな時空がなだれこむ。

興は作り手と読み手との真剣ないのちのやりとりになるのである。猪でも筍でも、生きてある季語から未知の地平の風光を味わう。そうして、弱さもはかなさも愚かさも、ことごとくが肯定される。そこに畳み込まれるいのちは無限だから。

現実を見たまま客観（ありえない空論であるが）写生しようとする「賦」に淫すれば、かえって現実が見えにくくなることもある。季語が消閑の具になり下がる危険性が胚胎する。時代の直面する危機に目をふさぎ、フィクションとしての季語を重用する俳人は、地に足つけた生き方を忘れてしまう。わび、さび、かるみの表層をなぞってもしかたがない。「花は愛惜《あいじゃく》にちり、草は棄嫌《きけん》におふるのみなり」（『正法眼蔵』）である。蛙も蚊もすすきも海鼠《なまこ》も、地球という星の乗組員に開かれたそれぞれの土地の季語を通して、あたたかな感情をもやい合いたい。グローカルな泉のほとりから「興」を蘇らせて。

Ⅲ　興とアニミズム

俳句＝アニミズムの鼓吹

十数年前から「俳句はアニミズム」という声が狼煙《のろし》のように上がり、あっというまに俳人周辺にひろがった。昭和後期から平成終幕まで三十五年間にわたって俳壇とメディアの一線で活躍した金子兜太[6]の影響力は大きかった。その「俳句はアニミズム」の唱導は、草木もなびく様相を呈したのである。

わたしは当初から違和感をおぼえていた。東洋の風土と文化習俗のなかに生い立ち、日本人が愛しはぐくむことによって世界に広がりだした俳句（ＨＡＩＫＵ）に、なぜ、いまごろ十九世紀末のイギリスの文化人類学者エドワード・Ｂ・タイラー（一八三二〜一九一七）が『原始文化』で命名した原始宗教の名前をかぶせなければならないのだろう。しかもそれは進歩史観の持ち主のタイラーが、宗教の発展段階の最下位に位置づけた未開宗教の用語である。木に竹を接ぐような文化的キメラを現代人はなぜ欲するのだろうか。唱導者、金子の言説をここで改めて振り返ってみよう。前者は八十五歳時の『金子兜太　養生訓』、後者は九十八歳時の『金子兜太　私が俳句だ』に書かれた、現役第一線でのインタビュー回答である。

> どんなかたちにしろ、詩を書く人間の最後の決め手はアニミズムです。体でものを感じるようになって、しかもそれは反逆的ではなくて、ものになごやかに親しむように、親和的にものに接するという姿勢。ゲーテの言う親和力ですな。あれがあって、ものに接していけないとだめなんじゃないかな。その姿勢ができてきた詩人は大物になるのではないか。（中略）
>
> 　日本人は汎神論者でしょう。すべてに神を感ずる。一木一草に神が宿ると思うのはまさにアニミズムなのです。日本人はその固まりだ。そういうこともあって、身をもって表現できたのが大衆性と一流性を獲得している現実ではないか。俳句はそれをあんがい獲得しやすい芸術でもあると考えます。（中略）
>
> 　俳句でみてみると、現在、ほんとうの意味で親しまれているのはアニミズムが基本にある作品です。（中略）芭蕉もアニミズムの所有者だから一流詩人だと言える。「柿くへば」もそうです。そういうことがだんだん、私にもわかってきているのです。
>
> 　ですから、少なくとも東洋ではアニミズムが詩の基本です。

（『金子兜太　養生訓』黒田杏子（聞き書き）白水社、二〇〇五年）

アニミズムの話でいうとね、小林一茶は「六十歳で俺は荒凡夫《あらぼんぷ》になりたい」と言っておるのです。「荒」とは、私の解釈では「自由」だ。自由で平凡な男になりたい、とこう言っているわけです。

芭蕉なら「自分は翁《おきな》だ」となるけれど、一茶は「愚の塊の平凡な男だ」という。本能の自由のままに生きていく男というのは、はたからみれば俗物です。それでも一茶は珠玉の句をつくる。なぜなら、彼は生きもの感覚に優れているんです。アニミズムに支えられているんだ。一茶はアニミストだったと思います。

（『金子兜太　私が俳句だ』のこす言葉、平凡社、二〇一八年）

タイラーの『原始文化』

では次に、アニミズムの原典『原始文化』を繙《ひもと》いてみよう。タイラーは原始宗教の最小の定義に「諸々の霊的存在への信念」を据えて本論を出発した。この「諸々の霊的存在」についての教理をアニミズムの名のもとに考察したのが、第十一章「アニミズム」である。要所を抜粋する。

アニミズムは、人間性が非常に低い水準にある部族に特徴的に見られる。（中略）事実、アニミズムは野蛮人から文明人にいたる人類の歩みにおける〈宗教哲学〉の土台なのである。

野蛮と文明の別によらず、概してアニミズム的哲学は、地上の身体から解放された魂がそれでもなお身体性を保持しているかのように感じることを当然のように受け入れている。

原始的なアニミストたちは、希薄なエーテルのような魂の身体そのものが目に見え、動き、話すのを当然のことと受けとめており、ほかになんの仮説も説明も必要としなかった。

十七世紀の日本では、当時も広く行なわれていたこととして、高位者の死に殉じて十〜三十人の従者が「ハラキリ」、すなわち切腹して自害したという風習が記録されている。

蝦夷のアイヌは殺した熊に敬意を表してから皮を剝ぐ。（中略）人と動物は心霊《サイキカル》的に絶対的な違いがあるという感覚は、文明社会では当たり前のことだが、低級種族のあいだにはそうした感覚はほとんど見られない。

ここまで見てきた低級なアニミズム哲学の詳細は、今日の研究者にとってさほど目新しいものではない。実際、低級ないし中級の文化が示す人と動物の魂に関する原始的な見方は、現行の文明的な思考においても今のところ見いだすことができる。こうした考え方が誤謬であり、それに基づく行為も無意味だと考えている人々であっても、大真面目にそれを信じている低級な民族を理解し、共感することができるのである。

野蛮人のアニミズムはそれ自体で、それ自体のために存在している。その存在はそれ自体の起源を物語っているのだ。文明化した人間のアニミズムは、進歩した知的状況に比較的見合ったものになってはいるが、全体的にはさらに古く粗野な体系から発展した産物として見ないかぎり、説明しようがない。

（エドワード・B・タイラー『原始文化　上』国書刊行会、二〇一九年）

抜粋部分に限っても「人間性が非常に低い水準」「野蛮人」「低級種族」「原始的な見方」「粗野な体系」ということばが繰り返される。進歩主義者タイラーは宗教の価値体系のピラミッドの頂点に一神教のキリスト教を、最下層に野蛮なアニミズムを据えたのである。そのタイラーが日本におけるアニミズムの例証として挙げたのは和歌でも俳句でもなかった。ご覧のように、忠臣蔵の切腹と、アイヌのくまの皮剝ぎだった。たしかに西欧合理主義の精神からすれば、亡き主君の仇討ちを果たしたあとの「ハラキリ」ほど野蛮なものはなかろう。タイラーによれば四十七士の「ハラキリ」は、「死者のために従者を犠牲にする風習」としての殉死であり、高位の死者のために行われる生贄である。それが「従者などを犠牲として捧げ、魂をあの世に送る」宗教の起源としてのアニミズムの位置づけなのである。タイラーは「文化の発展は、総じて野蛮な生活から未開の生活へ、そして文明生活へ、という道筋をたどる」とする近代の典型的進歩主義者であった。霊肉二元論に立つ万物の霊長たる人間と、英語文化圏の近代的精神文化とに、ゆるぎない矜持をもっていたのである。

　こうしてみると、ラテン語の「霊魂」を意味する「アニマ」から由来したアニミズムを、東洋の自然風土から生い育った俳句に援用すること自体に無理があることに気づく。さらにいえば、金子の先の、「日本人は汎神論者」だから「一木一草に神が宿ると思」ってい、芭蕉も一茶も「アニミズムの所有者だから一流詩人だ」という「俳句はアニミズム」の主張は、原典のアニミズム論などおかまいなしの、長寿人気俳人の口当たりのいいキャッチ・コピーにすぎなかったことがわかる。金子は西洋の宗教の土台の「霊魂信仰」と、日本古来からの山岳宗教、盆の精霊棚などにみられる祖霊信仰、後代の天台の「草木国土悉皆成仏」の仏性論などを、原典などおかまいなくいっしょくたにまぜ合わせて、うたい文句にしてしまったのであった。

　ここまで、「俳句はアニミズム」という唱導が空疎な狼煙に過ぎなかったことをみてきた。それはたとえば蕪村が〈春の水すみれつばなをぬらしゆく〉とうたったすみれや茅花《つばな》のしめやかさとは無縁のものであったし、屈原が橘の照葉と白い花にみずからのこころの鑑《かがみ》を見た清新さとは、精神文化の次元をはるかに異にするものだったのである。

東洋の詩の根底には、わたしたちが忘れかけているだけで、深く地に根を下ろした詞《ことば》があった。「興」の精神は文化の地下水に薫りたかく脈々と息づいてきたのである。

興の継承と学問的成果

東洋の詩の源泉はどこにあるか。なかんずく俳句の季語の淵源は。それを未開社会のアニミズムに求めるべきではなかろう。極東の定住農耕民族に生い立った「興」に求めるべきであろう。世界中の原始社会に普遍的なアニミズムを持ち出す前に、東洋の詩のみなもとにある「興」のゆたかさを思い起こしたいのである。その多層的、かつ根源的な東洋の詩精神の復興は、西洋合理主義の到り着いた現代社会のゆきづまりと地球温暖化という危機的閉塞感のなかで、民族や国境を超えた、詩の新生につながってゆくであろうから。

「興」を『日本国語大辞典』（小学館）で引くとこうある。

①おもしろいこと。たのしいこと。おもしろみ。おもむき。ふぜい。興味。興趣。

②その場だけのたわむれ。一時の遊び。座興。即興。

③『詩経』の六義の一つ。中国、古代の詩の一形式で、ある事物に感じて自分の感興を述べたもの。ある事物から、それに関連して自然に呼び起こされた自分の心情をよんだも

の。和歌に当てはめて用いられることもあった。

かように「興」は多義的で奥ふかい。現在の日常語でも「興」は、興ずる、興に乗る、興味深い、興趣があるなど、ポジティブな意味でよく使われる。③の意味の「興」は、前節にも述べたように詩の六義の一つで、『古今和歌集』の「仮名序」にも登場していた。ルーツは中国の『詩経』や『楚辞』にまでさかのぼることができた。

ここで、グラネの『中国古代の祭礼と歌謡』に啓発され、独自に研究を進めた日本の学者たちによる「興」論の新たな成果を振り返ってみたい。管見ながら学恩に感謝し、これからの糧としたいのである。[7]

◎白川静（一九一〇～二〇〇六）

> （古代歌謡の――恩田注）発想基盤には、古い共同体時代の自然観、神話を生み出した時代の観念がそのまま継承されている。詩篇における「興」とよばれる自然へのよびかけの発想法、ことだま的な修辞法がそれであるが、そのような発想や表現は、わが国の『万葉集』においても著しい特質をなしている。（中略）直叙によって対象の内的生命をよびおこす賦や、呪的に対象にはたらきかける興的な発想が、古代文学の上でどれほど重要なものであるかを見おとしては、『詩』や『楚辞』の文学を考えることはできない。それは東アジア特有のものであるからである。

興的発想は、説明を要するものでない。象徴は、その象徴されるものと主題とが融即する。そこに興の古代的発想法としての特質がある。赤人の「み吉野の」「ぬばたまの」の歌は、いわば興的発想そのものが歌の全体をなし、主題と融即する世界の表現となっているのである。

詩歌はその成立の地盤を離れると、遊芸化の傾向をもつものである。

（『中国の古代文学（一）神話から楚辞へ』中央公論社、一九七六年）

『詩』の興《きょう》とよばれる発想法は、（中略）わが国の序詞や枕詞のような定着のしかたを示さなかったけれども、本質的にはそれと同様に、神霊との交渉をもつための発想であり、表現であった。暗示的な発想といわれる「興」の本質は、歌謡が古く呪歌として機能していたころのなごりをとどめているものなのである。

（『詩経――中国の古代歌謡』中公文庫、二〇〇二年）

白川静は、自然の景象や草摘み采薪など呪誦の行為が多く歌われている『詩経』と『万葉集』とに共通する呪歌的発想を明らかにした。さらに興的発想による詩は、象徴される対象と主題とが一つになることを見抜いた。わたしたちはここで、詩の六義の「興」が東アジアに特有な発想と表現であり、『詩経』と『万葉集』がともにその興の呪歌的発想をもち、日本の『万葉集』において序詞や枕詞として定着したということを押さえておきたい。

◎赤塚忠《あかつかきよし》（一九一三〜一九八三）

「興」の詞は、「頌《しょう》」系統を除くすべての歌謡に存するか、存したものから転化しているかである。抒情系統の歌謡は、降神・迎神歌から展開したように、「興」の詞は、その歌謡が抒情系統に属することを規定しているといってもよい。もっとも「興」の詞と一概にいっても、その興物には草木鳥虫獣魚衣服などがあり、その発生的構成も、依《より》代《しろ》・尸《かたしろ》・供薦《きょうせん》・祭儀・神話などさまざまであり、その作歌上の利用法も順接・逆接のほかに比喩的であったり、情趣的であったり、全く技巧的であったりするものもある。だが、発生的にはいずれも神を呼び、神に願望するものであって、「興」の詞自体は、その用いられている場面によって、濃淡広狭の相違があっても、その吉祥を象徴しており、かつ当時の人々のよく知っているものであった。ことにしばしばいうように、神は実質的には共同体の意志にほかならないから、「興」の詞はその共同体への依存、その協同に支えられている幸福、それと調和的な共通意識を内容としていることになろう。

興の詞は（中略）その時代の共通観念から出発するのが通常である。して見ると、それを顕著に典型的に掲げている「興」の詞は、後世の抒情詩にとっても示唆的意義を持つであろう。

「比」は比喩である。(中略)わが『万葉集』には「譬喩《ひゆ》歌」という分類がある。「興」については、すでに述べた。(中略)『万葉集』には「寄物陳思歌」という分類がある。朱子は「興とは、先づ他物を言ひて以て詠ずる所の詞を引起するなり」と解している。確かに、形式上は他物を借りているに違いないが、この形式だけに注目すると比喩とほとんど差のないこととなる。「興」は発想法を規定する。それはある物を借りるのではなくて、その物によるよりほかにないのであり、その物がすでに続いて起こる情詞を用意しているのである。

「興」は「比」とあまり異なるところのない修辞法と解されて来た。今でも、「比」の直喩に対して、「興」を単に隠喩として区別しているものが少なくない。

　これに比較すれば、『万葉集』の編者が比喩の歌に対して「物に寄せて思いをのべる歌」の目を立てているのはなお含蓄がある。ただし、作者が全く主観的に物に寄せるのではないのである。(中略)その生活の集団的事実である祭祀であり、その宗教観念を持ち伝えているものが「興」である。

　詩はそれ自体祭祀の一つの儀礼である歌舞から起こるのであり、(中略)草木は願わしいものを招き寄せる呪力のあるものであった。(中略)国風では、草木の興は恋愛の場面においてはなはだ成熟した形を示しているものが大部分である。世にも珍しい人の魂を寄来させようとするのであるから、手草によって神禱《かみま》ぎすることと無縁ではない。（中略）女子がある草を採るという意味の「興」詞は、女子の男子への思慕を表すことになっているが、（中略）蔬菜《そさい》も神に供せられる。（中略）草を手向《たむ》ける神への祈願が、転じて最も願わしい人への思慕となったのである。

古詩以後の時代の抒情詩においても、草木ひいては自然物に関する描写が大きな比重を占めており、それは中国の詩の一つの特色に数えられている。（中略）

彼等（杜甫や李白――恩田注）は選ぶ自然の題材も、その描写も異なっているが、自然のうちに人生を見ていることは同じである。それはなぜであろうか。これを、人事と自然とを切り離せないのが、中国の詩の特色の一つであるというかも知れないが、なぜに切り離せないのであろうか。さらによく考えれば、それぞれの個性によってその人生観は異なっているが、ともに詩の「興」という地を借りて人生観の確立を求めているという共通性があろう。

「興」詞の華とは人を引き寄せる、正しく言えば、霊魂を現れ出させる力のある呪物であったのである。（中略）華とは、もと社・宗廟などに供えられて、神霊を招き寄せる力があると信じられていた呪物であった。この種の祭礼と呪物とが興詞の母胎である。

（傍点恩田。『詩経研究』赤塚忠著作集五、研文社、一九八六年）

赤塚の指摘で大事なのは、興が、その時代時代の、地つき共同体の調和的な共通の願いや祈りから発する抒情詩であり、その物によるほかない発想法の規定であることである。これは『万葉集』「寄物陳思歌《ものによせておもいをのぶるうた》」を経由して俳句の「季語」にまっすぐつながってくる。さらに、興に、草木をはじめとする自然のうちに人生を見、人生観の確立を求める後代の抒情詩の淵源をうかがうことは、興の未来に向かう生産性をも示す。赤塚の「興」論は構えの大きさに於いて特筆されよう。

◎家井眞《いのいまこと》（一九四七〜）（以下、要旨抄出）

・『詩経』に歌われる草（蒲と蓮など――恩田注）は神霊の憑依《ひょうい》する依代《よりしろ》であった。

〈さ雄鹿の入野の薄初尾花いつしか妹が手枕をせむ〉『万葉集』巻十、二二七七

万葉人が草に魂の憑依する呪力を認めていたことは古代中国人と同様であった。

（「『詩経』国風に於ける花・実・草・木の興詩――霊の依り憑くもの」『中国研究集刊』第一九号、一九九七年）

・興詞に歌われる呪物たる「魚」は、その多産という呪力から、類感呪術的に大地の多産即ち穀物の豊饒を祈願する予祝儀礼・収穫儀礼の興詞に歌われ、類感呪術的に女性

の多産を歌う詩の興詞に使用された。

・古代に於いては水に対し、『管子』水地篇に「故曰、水者何也、萬物之本原也」とある如く、水を万物の本原的なものとする観念が存在し、総ては水に拠って生成するという思想があった。(中略)であるから彼等は水の最も集合している河川を祀り、その源泉の存する山岳を祀ったのである。(中略)水神を祀り、河川を祀る儀礼とその場とは、神聖なものであったが、その原義が忘れ去られ、男女相会の予祝儀礼の場として謡われる歌垣の場となってしまう。

〈天の川楫の音聞ゆ牽牛と棚機津女と今宵逢ふらしも〉『万葉集』巻十、二〇二九

この(天の川)伝説は、殷代から続く養蚕と、川辺で織る王が服する農耕予祝儀礼の為の祭服・予祝儀礼としての渡河儀礼、星に対する信仰、殷代に始まる牛耕等が複合し、漢代機織業の隆盛と相俟って、乞巧を伴う七月七日夜の習俗として昇華して行く。

呪言―呪謡―祭と呪謡・呪的模倣儀礼の分離
- 歌謡の発生―個人の自覚
  - 抒情詩の発生
  - 教訓詩・風刺詩等の発生
- 歌劇の発生―芸人の出現

(『『詩経』の原義的研究』研文出版、二〇〇四年)

家井は、フレイザーの『金枝篇』からグラネの『中国古代の祭礼と歌謡』、赤塚忠の『詩経研究』に至るまでを総覧し、新たに魚や草や水や天の川伝説にこめられた興の詳細な意味を、わが国の『万葉集』とも関連付けてみせた。抒情詩の発生から生成、発展までの水脈を明らかにした功績は大きい。

◎田中和夫（一九四七～）

興という言葉は、『説文解字』には、「起也。」とあり、「起こる・起こす」と同義語である。これが詩における比喩的用法として用いられたと思われるものは、『論語』陽貨篇に見えている次の文が、その早い例であろう。

詩可以興、可以觀、可以群、可以怨。邇之事父、遠之事君、多識於鳥獸草木之名。

（中略）『論語』にみえるこの「可以興」の「興」という語彙は、比喩するという意味内容の語であると取るのは、漢代から、一つの有力な解釈であったことは間違いがない。

また、同じく漢の武帝の即位した建元元年（前百四十年）頃に作られたとされる『淮南子』には、より具体的に述べられている。

關雎興鳥、而君子美之、爲其雌雄之不乖居也。鹿鳴興獸、而君子大之、取其見食而

相呼也。（『淮南子』泰族訓）

鳥を言い出すことによって、雌雄・男女の仲むつまじいことを思い起こさせ、獣（ここでは鹿）が草を見つけ、鳴いて類を呼び合っていることを描いて、人の相呼び合うことを連想させる、というように、ある触目の自然物を詠むことによって人との関係・人の境遇・情況など人の世の事を比喩する、比喩的用法（連想的表現）として、意識されている。

ある事物・情景・風物・物の状態等を見る・感じることによって何等かの人の世に関する事を連想するということは、人に於いて極めて日常的且つ普遍的に起こる精神的営みであろうと思われる。ある事物・情景・状態等に対して何等かの実感を懐き、それに基づいて別な何事かを連想するということは、恐らく高度な抽象力を要するものであろう。人には遍く付与されている高度な精神的能力だと思われる。表現に工夫を凝らそうとした場合、こうした抽象能力に基づく連想による表現は、自然に用いられるようになるに違いない。

（『毛詩正義研究』白帝社、二〇〇三年）

田中は、「興」の発想と表現技法を、東洋のみならず、人類に普遍的な精神の営みとして位置づけ、そこに未来への積極的な意義をもたせている。新しい視点の開示である。

◎加納喜光（一九四〇〜）

　自然の現象と人間の事象を並べることによって興趣を見出すのが興なのである。なぜ興趣があるのか。自然と人間は異なった二つの世界という前提に立つ。紀元前の古代中国人は自然と人間の融合した未分化の世界に浸っていたのではなかった。きわめて人間的、あるいは文化的な世界の住人であった。だから自然（特に動植物）と人間との間に類似性あるいは差異性を発見したときに喜びを感じたのであり、この認識が興の手法の基礎になっているのである。（『詩経・I　恋愛詩と動植物のシンボリズム』汲古書院、二〇〇六年）

加納は、興の手法の源泉を、白川静の「古代文学」を踏まえた上で、過ぎ去った時代の枠から開放してみせた。『詩経』が成立した紀元前の古代中国人に、タイラーのいう未開人ではなく、十二分な文化人の感性と明知を見出したのである。

◎中島隆博（一九六四〜）

　興は「起」であり情を起こすことである。それに対して、比は「附」であり理（意味）を付け加えることである。（中略）

　この対照によって強調されているのは、興の起源性であり、比の二次性である。興において、情がはじめて立ち上がり、出来事が出来するのに対して、比においては、あらかじめあるものに、類似した意味を付け加える。この違いをもう少し述べるなら、「類似したものを切り取ってきて事柄を指し示す」というように、比においては、比較可能な何らかの類似を見つけ出す操作が行われているのに対して、興においては、「興が立ちあがる」というように、立ち上がること、すなわち「はじまる」ことが生じている。（中略）

重要なのは、劉勰が附と起を顕と隠とに結び合わせて比興を語っていることである。

（中略）

興という隠喩は、もともとは明らかである自らを隠し、隠れたものとなることによって、それを再び暴露する運動を惹起する誘惑である。つまり、隠喩は自らを隠すからこそ「はじまり」となり、「はじまり」を起こすのである。

（「文学言語としての隠喩――劉勰『文心雕龍』」『残響の中国哲学――言語と政治』東京大学出版会、二〇〇七年）

中島は、東洋最古にして最高の文芸評論家、劉勰の詩論の核心「詩は持《じ》なり。人の情性を持するなり」を踏まえ、比（直喩）と対称的な興（隠喩）の起源性からよって来る表現の特異さ、その根源性に迫ろうとする。「情がはじめて立ち上が」る興こそが詩の本源であり、文学の盛衰の歴史にかかわることを述べる。

こうして興が、葬り去るべき黴くさい詩法などではなく、人類それぞれの地域共同体と一人ひとりに普遍的価値をもつ新しい詩の発想法であり表現技法であることをおわかりいただけたのではないかと思う。賦・比・興の詩の三つの表現技法のなかで、興は足元の深みから起《た》ち上がる詩である。そこに興だけがなしえる根源的批評性がある。小さなところから発して大きなものをみる批判精神《クリティシズム》の確立は諧謔となり、日本の俳諧へとつながってきた。切なるものに触れて感情が涌きおこる興は、意味の分節化以前の渾沌から立ちあがり、ゆり起こる詩の泉なのである。

季語のなかに生きる興

興は『古今和歌集』では「たとへうた」と訳されたが、『万葉集』では「寄物陳思」と訳された。ちなみに賦は「正述心緒《せいじゅつしんしょ》」、比は「譬喩《ひゆ》」である。三つの表現技法の分類のうち「寄物陳思」と題されたのは、寄物・景物に託して次のように心情を表現する手法である。

朝霜の消《け》なば消《け》ぬべく思ひつついかに此の夜を明《あか》してむかも

『万葉集』巻十一、二四五八

〔大意〕（自分の身も朝霜のように消えるなら消えてもいいと思いつつ、どのようにして一人この夜を明かしきろうか）

大崎の荒磯《ありそ》の渡延《わたりは》ふ葛《くず》の行方《ゆくへ》も無くや戀ひ渡りなむ　『万葉集』巻十二、三〇七二

〔大意〕（大崎の荒磯の渡り場に、這っているクズの行方も定めないように、私の恋は行方もなくつづいて行くことであろう）

（『万葉集三』日本古典文学大系六、岩波書店、一九六〇年所収）

右の二首で思いを寄せられている物はそれぞれ、「朝霜」と「葛」である。では、同じ寄物を俳句はどう詠んでいるだろうか。

強《つよ》霜《しも》にひづめを鳴らしへだたれり　三橋鷹女《みつはしたかじょ》『橅《ぶな》』

葛の葉のうらみ貌なる細雨哉　蕪村

お気付きのとおり、寄物は俳句では季物であり、右の二句では季語の「霜」と「葛」である。俳句は、なにがどうしてどうなったという因果関係を叙述する姿勢をきらう。感情を端的に物によせるのである。とくに季語という季物に。ということは、なんのことはない。いままで和歌の技法とされてきた「寄物陳思（興）」は、俳句の骨法でもあったことに気づく。興はなにしらぬ顔で季語のふところに潜り、新しいいのちを吹き込まれ続けてきたのだ。こうして季語のルーツは平安貴族の平安京を中心とした限られた地域の美意識をはるかに超えて、黄河流域の紀元前一一〇〇年から六〇〇年ごろまでの農耕民のコミュニティまで悠々と

遡源してゆくのである。

庶民の生活の集団的事実と祈りを持ち伝えてきた興は未来への可能性に満ちている。いまわたしたちの使っている「歳時記」から、近代の合理主義ではカタがつかない季語（宗教祭事以外）で、よく使われるものをアトランダムに拾ってみよう。

新年——御降《おさがり》　成木責《なりきぜめ》　歯固《はがため》　餅花　繭玉　宝船　獏枕　綱引　初鶏《はつとり》　嫁が君　楪《ゆずりは》　歯朶《しだ》

春——獺魚を祭る　鷹化して鳩となる　龍天に登る　鴈風呂　雛流し　踏青

夏——端午　粽　菖蒲湯　薬玉　競渡　雨乞　雷

秋——稲妻　七夕　生身魂　高きに登る　龍淵に潜む　菊酒

冬——鎌鼬　雪女　狐火

デノテーションとコノテーションという二つの言語がある。前者は情報言語、記号的・実用・実利言語で、インターネット上に氾濫している。後者は言外に含蓄のある言葉で、文学や詩歌の言葉、匂い立ち、薫り、しみる言葉である。デノテーションが文化領域の全般を覆いつくしかかっている現代こそ、匂い立つけはいの言葉をよびさましたい。私たちは進歩主義者の奉ずる一方通行の直線的な時間を生きているわけではない。原始時代から現在までを包摂した重層的なミルフィーユのような時間を生きている。たった一行の俳句が切れによる多層構造をもつように、時間こそ大いなる多重奏である。すでに縄文土器にも、漢字の一字にも、具象と抽象は渾融していた。虚と実のどちらか一方だけに安住しないゆたかなバランスと緊張関係を保っていたのである。

興は、「たとへうた・隠喩」とも訳される。対象を記号や符牒めく抽象化された死物にすることなく、このはかない生身のいのちの足元に引きよせたい。賦は一定の位置を占めるが、興はどこまでもころがってゆく。具象と抽象をゆき来するダイナミズムをもつ。よび交わす往還こそが興の精神である。

　言葉も季語も、個人の発明品ではない。根つき地つき、風土に根付いた共同体来歴の産物である。興も同じく東洋の湿潤モンスーン域における定住農耕民族の自然との共生の祈りに発していた。『万葉集』の寄物陳思歌や枕詞は、風土をともにする豊穣の願い、子孫繁栄の願いと一体の恋愛感情を背景にする「興」の大地に生い立った。そうして真率の感情をゆり起こす「興」は、人間の深い思いを表現する詩の核心に位置づけられてきたのである。

　さらに中国古代において興は、農耕民の生活をおびやかす為政者への批判精神と一体であった。現実の社会制度へ正面きっていえない批判を籠める美刺《びし》の伝統がそこに生まれた。古今東西、詩《ポエジー》と批判精神《クリティシズム》は一体である。ところが、「和を以て貴しとなす」日本の古典文学の本流においては、権力者に対する批判精神は文学上の涵養をみることなく、王朝の「無用者の系譜」という隠者と漂泊の世外の文学へなだれ込むことになった。しかし、これからみる現代俳句には、中国の美刺にも負けないクリティシズムが溌溂《はつらつ》たる声を挙げている。

　では実際に、近現代の俳句から、詩の三つの技法である賦、比、興、それぞれの秀句を挙げてみよう。いうまでもなく、絵巻の思想のもとに生い立った島国の賦と比と興にヒエラルキーはない。それぞれが天上天下唯我独尊である。（※（　）内に忘備的に、『万葉集』・『古今和歌集』・

現代文芸用語を添える)。

賦 (正述心緒・かぞへうた・直叙)

咲き満ちてこぼるゝ花もなかりけり　高浜虚子　『五百句時代』
しみじみと日のさしぬける冬菜かな　久保田万太郎　『これやこの』
水仙の花のうしろの蕾かな　星野立子　『立子句集』
とどまればあたりにふゆる蜻蛉かな　中村汀女　『汀女句集』
塵とりに凌霄の花と塵すこし　高野素十　『初鴉』
水ゆれて鳳凰堂へ蛇の首　阿波野青畝　『春の鳶』
向日葵の蕋を見るとき海消えし　芝不器男　『不器男全句集』
橋の上より寒泳の頭かず　山尾玉藻　「火星」
畦塗るやちちははの顔映るまで　若井新一　『冠雪』

賦の俳句は写生句にほぼ重なる。平明で景が鮮明である。「対象の内的生命をよびおこす」端的なよさをもつ。

比 (譬喩《ひゆ》歌・なずらへうた・直喩)

たんぽぽや一天玉の如くなり　松本たかし　『松本たかし句集』

炎天を槍のごとくに涼気すぐ　飯田蛇笏『家郷の霧』

ありし夜のごとく灯れるおぼろかな　久保田万太郎『これやこの』

月の道子の言葉掌《て》に置くごとし　飯田龍太『童眸』

ぼうたんの百のゆるるは湯のやうに　森澄雄『鯉素』

船のやうに年逝く人をこぼしつつ　矢島渚男『船のやうに』

天に乳《ち》を含まするごと芽吹くなり　奥坂まや『うつろふ』

独白のやうに蓮の破れをり　山口昭男『木簡』

比の俳句は、独自のイマジネーションを持ち味とする。思いがけないものに類似をみつけ出し、附《ちか》づけ、橋が架かるゆたかさがある。

興（寄物陳思・たとへうた・隠喩）

無人島の天子とならば涼しかろ　夏目漱石『漱石全集』

金雲のさなか日本の神生《あ》れし　ポール・クローデル『百扇帖』[8]（恩田訳）

分け入つても分け入つても青い山　種田山頭火『草木塔』

春の水さあつれてゆけ地獄まで　竹久夢二『夢二句集』

涸れ滝へ人を誘ふ極寒裡　飯田蛇笏『椿花集』

竹馬やいろはにほへとちり〲に　久保田万太郎『草の丈』

鞦韆は漕ぐべし愛は奪ふべし　三橋鷹女　『白骨』

水枕ガバリと寒い海がある　西東三鬼　『旗』

蝶墜ちて大音響の結氷期　富澤赤黄男　『天の狼』

父となりしか蜥蜴とともに立ち止る　中村草田男　『火の島』

銀河系のとある酒場のヒヤシンス　橋閒石　『微光』

玉音を理解せし者前に出よ　渡辺白泉　『白泉句集』

吹きおこる秋風鶴をあゆましむ　石田波郷　『鶴の眼』

閂をかけて見返る虫の闇　桂信子　『月光抄』

蟻地獄までもバーチユアルリアリテイ　後藤比奈夫　『めんない千鳥』

戰爭と疊の上の團扇かな　三橋敏雄　『畳の上』

鉛筆の遺書ならば忘れ易からむ　林田紀音夫　『風蝕』

稲妻の緑釉を浴ぶ野の果に　黒田杏子　『木の椅子』

天の川からさんさんさんと檜の香　宮坂静生　『春の鹿』

棹ささむあやめのはての忘れ川　高橋睦郎　『荒童鈔』

竹折れるとは裂けること深雪晴　澤好摩　『光源』

アウシュヴィッツの夏

にんげんがにんげんを狩る汗もかかず　行方克巳　『世界みちくさ紀行』

またせうぞ午後の花降る陣地取　攝津幸彦　『鹿々集』

青空の暗きところが雲雀の血　高野ムツオ『雲雀の血』
露けしや空に授かるものばかり　岩岡中正『相聞』
粗衣粗食なりし人類はるいちばん　正木ゆう子『静かな水』
階段のひとつが故郷ハーモニカ　長岡裕一郎『花文字館』
かげろひ易きやう石組まれけり　長谷川櫂『古志』
人間を乗り継いでゆく神の旅　堀田季何『人類の午後』
疼痛のたとへば花の水面かな　生駒大祐『水界園丁』
ねむる間も海のうごいて鏡餅　安里琉太『式日』

興の俳句は、おのおのの感性が多声音楽を生んでいる。賦や比もそれぞれに素晴らしいが、俳句の醍醐味はやはり「興」にあろう。それは余白に新たな泉を涌き立たせてやむことがない。

ところで、フレイザーの『金枝篇』は、「高等な思惟への動きというものは、それを辿り得る限りにおいては、全体として、呪術から宗教を通して科学へ向かっていると結論せざるを得ないようである」と、結論自体が問題を孕んでいた。二十一世紀のいま、呪術→宗教→科学という一方通行の「進歩」の観念は根底から問い直されるべきであろう。フレイザーは産業革命以来の十九世紀的価値観のもとに人類史を把握した。それは科学の進歩が、習俗や宗教に潜む祈りの感情を、睥睨《へいげい》し蹂躙する価値観であったといえよう。

わたしたちは国際語となったＨＡＩＫＵの足元から今世紀の新しい価値観を手繰り寄せた

い。すでに地球は経済発展を至上命題とする人間中心主義ではやっていけなくなっている。地球温暖化と生態系崩壊の危機は人類の精神の危機の写し絵である。一九七二年にローマクラブは「成長の限界」を発表した。その四十年目、フクシマ原発事故の人災が起きた。かんがえてみよう。人類は原始人から累々と、過去の文化遺産とともに、当たり前のように、まっ新《さら》な未来を手渡されてきた。が、何ということか！　現代人は未来を食い潰した。将来世代に遺産どころか、白紙の未来すら遺してやれない。人類史の長さを超える放射能汚染のゴミに代表される負のツケを押し付けて死んでゆく。わたしたちは人類初の痛恨の世代になったのである。現代人が阿武隈川《あぶくまがわ》の「彼《か》の茁《さつ》たる者《もの》は葭《あし》」にこめる祈りは、猪をしとめることではない。目に見えない悠久の汚染の浄化である。

　実態とかけ離れた金融資本主義の暴走は分断と孤立の格差社会を招いた。こころを置き去りにした経済発展は人間の顛倒《てんとう》にほかならないことに、誰もが気づき始めている。強欲資本主義とは別のステージに向かわなければ、人間の自己決定権も真善美の価値観も、あっけなくＡＩに奪われるであろう。生きて老いて死んでゆく肉体から生まれる繊細な感情も深層の意識も持たない不死のＡＩテクノロジーが問題解決を主導し世界を支配してゆきかねない時代にあって、身幅の俳句はひとの苦悩と感情にひたとよりそう。身心は環境と一体である。ささやかな俳句は、風土と共同体にはぐくまれた季語という心臓をもつ。そこには濃やかな感情の大陸が入れ子のように畳まれている。人類はそれぞれ異なる文化習俗の根を持つが、一粒の星にあって、同じ二十一世紀の文明に属している。

わたしには忘れられない思い出がある。数年前のパリ。「日本の美と時間のパラドクス」の講演を終えた質疑応答の時間だった。日本文化と俳句にたいするおどろくほど豊かな知識に基づく質問が飛び交うなか、一人の同年輩の女性が哀しげなあてどない表情でわたしの目を見つめた。

「お話に感動しました。でも、日本とフランスはこんなにも違います。そんなわたしにいったいどんなＨＡＩＫＵが書けるでしょうか」

虚を衝かれた。

いまなら、文化やことばの差を一身に引き受けようとした誠実な友に語りかけたい。

「わたしたちの感情の大陸は多様な文化と言語をはぐくんで、まだみぬ花をこれからも咲かせたがっています。興の精神でつながることは、もちろん可能です。新しく影響しあってゆきましょう」

（1）Ｇ・チハルチシビリ（チハルティシヴィリ、一九五六〜）ロシアの日本文学研究者、文芸評論家。ボリス・アクーニンという名の小説家でもある。

（2）赤塚忠（一九一三〜一九八三） 茨城県生まれ。中国古代思想研究者。東京大学名誉教授。

（3）献公は紀元前六七六年（周の恵王の元年・魯の荘公の十八年）から紀元前六五一年（周の襄王の元年・魯の僖公の九年）まで二十六年間在位した。

（4）芝不器男（一九〇三〜一九三〇） 愛媛県宇和島生まれ。「天の川」、「ホトトギス」で注目されたが、二十六歳で夭折した。

（5）ジャン＝ノエル・ロベール（一九四九〜） フランスの東洋学者、日本および中国の仏教史研究。

（6）金子兜太（一九一九〜二〇一八） 埼玉県生まれ。加藤楸邨門。戦後の前衛俳句運動・社会性俳句運動から出発する。一九五六年、第五回現代俳句協会賞受賞。六一年、「造型俳句六章」を「俳句」に発表。六二年、「海程」を創刊し、八五年から主宰。八七年から朝日新聞俳壇選者。テレビ出演などメディアで多彩に活躍。九六年、詩歌文学館賞。二〇〇二年、蛇笏賞。〇三年、日本芸術院賞。一〇年、毎日芸術賞、菊池寛賞。一六年、朝日賞。一九八三〜二〇〇〇年まで現代俳句協会会長。二〇〇〇〜一八年二月二十日、逝去まで、現代俳句協会名誉会長として昭和後期〜平成俳壇に三十五年間にわたり君臨した。

（7）拙論を裨益された主なるものをここに挙げれば、西郷信綱『増補　詩の発生』（未来社、一九九四年）、白川静『詩経――中国の古代歌謡』（中公文庫、二〇〇二年）、『楚辞研究』（赤塚忠著作集六、研文社、一九八六年）、興膳宏『合璧　詩品　書品』（研文出版、二〇一一年）、同『新版　中国の文学理論』（清文堂出版、二〇〇八年）、家井眞『『詩経』の原義的研究』（研文出版、二〇〇四年）、田中和夫『毛詩正義研究』（白帝社、二〇〇三年）、加納喜光『詩経・I　恋愛詩と動植物のシンボリズム』（汲古書院、二〇〇六年）、小南一郎『楚辞とその注釈者たち』（朋友書店、二〇〇三年）、王元化『文心雕龍講疏』（岡村繁編、王元化著作集一、汲古書院、二〇〇五年）、中島隆博『残響の中国哲学――言語と政治』（東京大学出版会、二〇〇七年）などである。

（8）『百扇帖』（*Cent Phrases pour éventails*, 1927）。ポール・クローデル（一八六八〜一九五五）はフランスの外交官、劇作家、詩人。駐日大使として日仏文化の交流に貢献。代表作に『繻子の靴』。

第四章 切れと余白

I なりかわり合うこころ

能と茶の湯の「切れ」

佐渡島に渡った。翌朝、宿から能舞台まで貸し自転車を走らせた。

「こんないい日、年に一度あるかないかですよ」

宿の主人が太鼓判を押した日本海の秋晴れである。ゆうべ仕事仲間と入った居酒屋では、

「もうじき北風が吹きまくります」と板さんがいった。その声がうそのよう。日本海はどこまでも紫苑色《しおんいろ》に凪《な》ぎわたっている。江戸時代にゴールドラッシュに沸いた相川の町は、どことなく金箔の剝落した仏像の肌を思わせる。木版画のようなやつしの美にかげる家並みにふっとまぎれこんで、そのまま隠れ棲みたくなる。その町はずれであった。

春日神社の境内は地べたに秋草がほにょほにょっと生えて、いちめんに朝露がおいていた。足首が露の玉に濡れてこそばゆい。ぐるりと雨戸の閉まった能舞台に近づく。外からみると、杉の無垢板に覆われたシンプルな立方体である。天から振り降ろされた一粒のさいころのよう。このなかで「翁」のような祝賀能や、「井筒」のような夢幻能がいくたびも演じられて

きたのだ。乾坤の長久をことほぐ祈りも、死しても死にきれない恋の妄執も、ありとあらゆる人間の感情が、この杉板のさいころのなかに染みこんでいる。能管《のうかん》のひと鳴り、するどいヒシギが裏山を走った気がした。杉と檜の柾目に畳み込まれた長年の記憶のゆかしさに、柱に手を触れた。風雨にやつれた板戸を外せば、この世とあの世のゆきかう空間がたちまちにして現れ出よう。

将軍義満の寵愛を受けてときめいた世阿弥の晩年は一転して無惨だった。義教の恐怖政治の時代に変わるや、佐渡へ遠流《おんる》の身となった。時に、七十一歳。この島には世阿弥のうつし身をありありと感じさせる遺跡が、一つだけ残っている。上陸した多田港から配所に向かう道すがら腰を下ろした丸石である。京の都から舟路《ふなじ》はるかに、老体の疲れを癒やしたおさな子の背丈ほどの石。昨日上陸したわたしも、さっそく灰色の肌をさすらせてもらった。すぐ横では枯蟷螂《かれとうろう》が秋の日にからだを温めていた。幽玄の美をこの世に薫らせた世阿弥という人間の奥深さは、佐渡を謡った『金島書《きんとうしょ》』にも窺うことができる。

〔よしや我〕雲水《くもみづ》の、すむにまかせてそのまゝに、衆生諸仏《しゅじょうしょぶつ》も相犯《あいおか》さず、山はをのづから高く、海《かい》はをのづから深し、〔語り〕尽くす、山雲海月《さんうんかいげつ》の心、あら面白や佐渡の海、満目青山《まんもくせいざん》、なををのづから、その名を問へば佐渡といふ、金《こがね》の島ぞ妙《たへ》なる。

（『世阿弥・禅竹』日本思想大系二四、岩波書店、一九七四年所収）

かつて将軍の寵童《ちょうどう》として栄華のさなかにあった身が、老残の無辜《むこ》の身で遠流に処せられれば、俊寛ならずとも恨み悲しみ、地団駄踏むであろうに、あろうことかおおどかにほがらかに流罪の地を言祝《ことほ》いでいる。なんというひとであろう。襤褸《らんる》の運命はその珠《たま》のようなこころに瑕《きず》一つつけることはできなかった。佐渡の人々は代々能舞台を守り、ほそぼそながら演能を絶やさず奉納してこられた。世阿弥のたましいはどんなにか慰められたことであろう。

そのとき、ヨーロッパの古都で近世の壮麗な劇場建築や、ローマ時代の円形劇場の跡をさまよった時間が胸によみがえってきた。それは逆に、世阿弥のことばを籍《か》りれば「粟散辺土《そくさんへんど》の小国」の人間であることを痛感し、ふるさと登呂遺跡のすり減った田下駄のこげ茶色の板切れをなつかしく思い出す体験でもあった。堅牢な石造建築の偉容と、草なかの小さな能楽堂のはかなさと。露芝に脛《こむら》まで濡れながら、杉の雨戸を前に能のいとしさがせまった。

学生時代はよく水道橋の宝生能楽堂に通った。能が始まる前の緊張感も好きだった。能には緞帳がない。舞台と見所《けんじょ》はつーつーで、アクセントは柱だけ。指揮者もいない。能管とよばれる竹笛の一鳴りがはじまりを告げる。能には舞台装置の転換もない。頼りは観客の想像力だけ。いっさいのものを削《そ》ぎ落《おと》している。そこに間《ま》と切れが生まれる。夢幻能で里の女として登場する前《まえ》シテは、恋の情念に死にきれず、あの世からよみがえってきた女である。きらびやかな詞章《ししょう》を謡《うた》う能楽師の底ごもる声は、まるで黄泉《よみ》のくにから発せられるよう。幽明の境を超えるシテの情念は、序の舞で長絹《ちょうけん》の袖をひるがえすとき、能面を裡《うち》がわからほてらすだけではない。ヒシギとよばれる甲高い笛の音が空間を切り裂くとき、見所にいるわたしたちも、居ながらにして潺々《せんせん》たる清水のような感情の昂揚《こうよう》へ連れ去られる。大鼓《おおかわ》と小鼓の掛け声の発止《はっし》たるはざまに、異界は水炎《みずほむら》のように起《た》ち上《あ》がる。

よおーーッ

ホ、よおおーーッ

いえーッー、おおーッ、おおーッー

やあッ

タンッ。

しじまに振り下ろされる大鼓の一打は、詩でもいいつくせない深淵を生む。二十歳の頃に出会った名人、安福春雄の白髪はいまも幽暗《ゆうあん》のなかにかがやく。

能の視覚的な空間の切れとしては、橋懸りや小石を敷いた白洲がある。日常と非日常のわかりやすい境である。聴覚による空間の切れには能の囃子《はやし》がある。能管のヒシギ、鼓、大鼓。その一打の狭間《はざま》に、目に見えぬ切れがある。主人公であるシテの、ふとあとずさる白足袋《たび》にも、凝《じっ》と重力の芯のように動かない居曲《いぐせ》にも、一つひとつが切れの深淵を生むのである。さらにいえば、うら若い女面《おんなめん》の胡粉《ごふん》の肌と、そこからだぶりとはみ出た老いた能楽師の顎の贅肉との境にも、日本特有の切れの姿がある。作劇の構造からいえば、夢幻能におけるワキ、諸国一見の僧こそ「切れ」のキーマンである。夢幻能とはワキ僧の見たつかの間の夢であるといえなくもない。ワキ僧はシテの情念をたち切って、別の次元につなぐ役目を負っているともいえるのである。

いずれにしても日本が世界に誇る歌舞劇の能は、「切れ」のモザイクにより、なりたつ。十五世紀に大成された能の「切れ」は、約二百年後の十七世紀、俳句が文学として自立するための「切れ」に、深層からの影響を及ぼしていたのである。

日本文化は切れの宝庫

能に限らない。日本の文化は古くから「切れのつづれ織」から出来ているといっても過言ではない。日本の表現の本質に「切れ」があるのである。

やや唐突だが、その濫觴《らんしょう》には、招来した漢籍と格闘し続けた古人のたゆまぬ努力の日々があったのではなかろうか。日本語は格助詞の「の」で延々と語をつないでいける膠着語《こうちゃくご》である。中国語は日本語とはかけ離れた生理をもつ孤立語である。わたしたちの祖先は中国語を、レ点や一二三点などの返り点をつかって、読み下し文というアクロバチックな方法で苦労して読み解いてきた。実際のオーラルな中国語を習得することなく、存在感と論理力のある漢文を咀嚼《そしゃく》し、「日本語」の音と訓のはざまに感情をたゆたわせながら、和歌や『源氏物語』や謡曲など、独自の文学をつくりだしてきたのである。いままであまりいわれなかったが、日本の美意識の奥処《おくが》には、漢文脈の孤立語と向き合うなかで培われた切れがあるのではないか。

『古事記』の序で太安万侶《おおのやすまろ》はやまとことばを漢字を借りてあらわさなければならなかった

そもそもの本音をこんなふうにもらしている。

> 上古の時、言意《ことばこころ》並びに朴《すなほ》にして、文を敷き句を構ふること、字に於《お》きて即ち難《かた》し。已《すで》に訓に因《よ》りて述べたるは、詞《ことば》心に逮《およ》ばず、全《また》く音を以て連ねたるは、事の趣更に長し。

つまり、「訓読みだけで書くとことばは心に届かない。かといって、すべて音読みで書くと、ことの風情はまだるっこしくなる」というのである。文字を必要とせず何万年も口承でやってきた文化に、殷時代から数千年の蓄積を持つ漢字文化が流入した。和漢の境に安万侶は揺《ゆ》れ悶《もだ》えた。そうして音読みのあわいに訓読みを響かせる工夫をしたのだ。こうして、いつの間にか、どちらにも執しない方途をさぐるたゆたいの情が地下水になって日本文化をうるおしてきたのではなかろうか。このたゆたいの情こそ、「切れ」の文化のこころの源泉ではなかったろうか。俳句の切れのダイナミズムの底には、日本人が中国語を咀嚼し続けたたゆみない格闘の歴史が刻まれているように思われるのである。

中国文学の受容の側面からいえば、明治の新体詩が始まるまで、「詩」といえば「漢詩」のことであった。教養とは漢文を身につけることだったのである。連歌師も俳諧師も芭蕉も、五言絶句二十字や、七言絶句二十八字など、短い漢詩に畳み込まれたゆたかな感情にどれほど共感を深くしたことであろう。俳句の切れを味わう精神が、これら漢詩に凝縮された措辞の余白を読み解く姿勢からも涵養されたことは、ほぼまちがいのないことのように思われるのである。

　さらにもう一つ、俳句の切れを生むに至った源泉は日本の生活文化のなかにもあった。茶の湯である。十六世紀に利休によって大成されたそれは、いうまでもなく能とならぶ切れの美の宝庫である。茶の湯や能はいままで俳論の土俵外におかれてきた。しかし、どうであろう。秀吉の北野大茶会以降、桃山江戸期には武士階級のみならず商人層にまで盛行した茶の湯である。精神的、美学的に江戸の俳諧者に影響を及ぼさなかったとは考えにくい。ことに芭蕉の郷里の伊賀に、桃山茶陶の随一とも目される伊賀焼を輩出した丸柱や槇山の窯《かま》が近接していることは見逃せない。なかでも「破袋《やぶれぶくろ》」の水指や「からたち」の花入などの古伊賀は、日本陶磁史上、気宇《きう》の壮大さ、磊落《らいらく》な造型において冠絶している。藤堂高虎の御庭焼であった伊賀である。芭蕉が若いころ料理人として出仕していた藤堂家でも茶の湯はごく身近な文化であったことだろう。京や江戸においてはなおさらであったはずだ。蕉風の「切れ」を胚胎した精神的背景、先行文化の一つとして茶の湯をあげる一つの根拠である。

　ことに、草庵の茶室における躙《にじ》り口《ぐち》は、俳句における切字さながらである。躙り口をくぐることは日常次元から「切れる」ことである。その草庵の茶室でわたしたちは第一章でみたように、いにしえ人に鼓舞され慰められて、たなごころの宇宙に遊弋する。茶の湯の床をかざる禅の一行書は、一字から数文字、長くても十四字ほどで俳句より短い。そこから茶人は席主の意を汲み、今日の茶会の趣向をそこはかとなく感知し、ここであって、ここでない時空にやすらかに身をひたすのである。

たとえば秋の茶会に掛けられる軸の一つに「白馬入蘆花」（白馬蘆花《はくばろか》に入《い》る）がある。『碧《へき》巌《がん》録』第十三則の禅語である。白い馬が白い蘆の花のなかに紛れ込んでいる。おりしも白秋のひかりのなかに。白い馬体も蘆の花も白秋も、それぞれ別のものでありながら、渾然一体とした光景を展開する。書の墨色や筆のかすれを床の間で拝見した客は、この五文字に畳み込まれた風光を、釜の松風とともに楽しむ。一行数文字の凝縮をゆったりと解きほぐしつつ、かぎりない余白の美を茶会のそこここに味わうのである。それは俳句の余白を味わい感情移入する姿勢にもまっ直ぐつながってゆく。どちらもいま、ここにいないひとや風光と精神の共同体を構成するのである。このようなことから、俳精神の登場を用意した沃土の一つに茶の湯をあげても、あながち荒唐無稽ではないことがおわかりいただけるのではないだろうか。

この「白馬入蘆花」の茶掛けからインスパイアされたと思われる俳句がある。

白馬を売らんと来しが葦の花　　三橋鷹女[1]『橅』

さすがは独立不羈《どくりつふき》、清狂の鷹女である。「白馬入蘆花」という禅語を、ふたたびなつかしい俗世に、しかも馬の競り市に急ぐ男の孤影に引き戻してみせた。その力技は抽象界から現象界へ、渾沌から分節化へ、すとーんと逆放下《ぎゃくほうげ》されたものの空漠を小気味よく幻出する。葦のやわらかな花穂、誰も目に止めない秋の水辺に、男と馬はただ声もなく立ち尽くすのである。

日本では、目に見える「切れ」の美術品としての代表に、書に高野切《こうやぎれ》などの歌切《うたぎれ》があり、絵画に絵巻の一部を表具した幅《ふく》がある。それらを総称する「断簡《だんかん》」は、すでに不足や欠落感を意味しない。それどころか、失われたものの光彩を蜃気楼のようにまとう尊称とさえなっている。

ここまで見てきたように「切れ」はけっして俳句の専売特許ではなかった。それは長大さや完璧さを尊ぶ美意識とは別次元から生まれた。途上のもの、小さいもの、忘れられたものに価値を置き、作り手と受け手が、その不満足な部分、謂《い》いおおせない部分で感情を通わせようとするはかなさに生い立ったのである。こうして「切れ」は双方向になり代わり、なり変わる、ぬくもりの時空を作り出す日本の美と文化の本質にかかわる重要テーゼになったのであった。

こうした伝統文化のもろもろの熟成があって、芭蕉ははじめて「切れ」を、俳句という文学の要《かなめ》に据えることができた。芭蕉は、「切字なくては発句の姿にあらず、付句《つけく》の体《てい》なり」（『三冊子』）と、切字や切れをもって一句独立の要件としたのである。さらに、「切字に用ふる時は、四十八字皆切字なり。用ひざる時は一字も切字なし」（『去来抄』）と、切る意思なくては俳句ではない、とまでいい残した。名句には深い切れがある。その切れを味わえるようになると、俳句の鑑賞はいっそう深く楽しくなってくる。

牧水の切れ

さりながら「切れ」は詩歌においても俳句の独占物というわけではなかった。若き日の鷹女が私淑した若山牧水[2]の歌の切れは、近代短歌史上の、まさに黄金の釘であろう。

山を見よ山に日は照る海を見よ海に日は照るいざ唇《くち》を君　『海の声』

（山を見よ／山に日は照る／海を見よ／海に日は照る／いざ唇を君　／は恩田）

すべての句切れが、「海に日は照る」の四句切れへ向かって昂《たか》まってゆく。花綵列島は小さな島から次々に噴火し、本島の「いざ唇を君」で、カタルシスの大噴火を迎える。句切れごとに脈打ちとどろく心臓の匂いがする。おそろしいまでに青い山と海が漲《みなぎ》る。太陽は中天へ翔けあがる。恋人の朱いくちびるを芯に、宇宙、情欲、いのちの火照りが、あやめもつかず、この「いま」に渦巻く。

何といふながき髪ぞや立ちてみよそちら向きみよ戸に倚りてみよ　「新声」

（何といふながき髪ぞや／立ちてみよ／そちら向きみよ／戸に倚りてみよ）

これも二句以降の各句ごとが切れるきわめて特異な歌である。白川静によれば、恋の語源は「孤悲」であり、ここにいないひとに焦がれる感情である。非在への恋が日本の相聞の伝統であったなか、牧水という歌人の空前の新しさは、いま目の前にいる女に恋し、この生きているいまに畳まれてある呪力を感受したことにある。ひとりの黒髪したたる女人を眼前に、神代の精霊までも招魂せずにはおかない、何という呪術的な魅力に富む歌であろうか。和歌から俳句は生まれたが、ここでは逆に、芭蕉の発句から近代短歌に還流したと思われる切れの影響をひとこと暗示しておきたい。

　このように万葉以降、和歌の千三百年の歴史は、いい得ない余白を味わう精神の成熟を読み手に基本教養として期待し、その繊細でゆたかな想像力を短詩型の醍醐味をあじわう同伴者としてきた。

　ところが敗戦四十年後の昭和に、短歌の転換が起こった。いわゆる俵万智現象である。

「この味がいいね」と君が言ったから七月六日はサラダ記念日

ハンバーガーショップの席を立ち上がるように男を捨ててしまおう

　昭和の高度成長の頂点でライトヴァースは、ファストフードのハンバーガーとともに爆発的な人気を博したのである。『サラダ記念日』（河出書房新社、一九八七年）は、読んで字のごとし。切れと余白の払拭《ふっしょく》によって流行した。想像力、つかれる〜。余白、ウザったい。反射神経でわかるものだけを受け付ける大衆迎合主義《ポピュリズム》万能主義時代の到来を告げるそれはファンファーレであった。これ以降の短歌は、ひたすら余白の深い陰翳を捨て、いったもんがちの口語身辺雑記詠へと、軸足を移していったようにみえる。

どんなジャンルにも先祖返りしたいひとはいる。俳壇でも近年、貞門・談林よろしく「切れ不要論」がはばを利かせ出した。これを世阿弥の『花鏡』のことばを籍りれば、切れ不要論者の「我見」に対して、切れのある俳句は「離見の見」を庶幾《こいねが》うのである。

俳句から切れがなくなったらどうなろう。一瞬の快感はあっても感動がないから、純粋読者がいなくなる。句集は実作者同士だけの贈答品と化す。いや、化している。無理もない。切れと余白のない十七音はふわふわの綿菓子さながら。せめていまは、余白を尊んできた千三百年の伝統が、そうかんたんには消えないことを信じたい。

名句には切れがある

俳句もことほど時代の子である。俳文学者、復本一郎は、「発句の構造を持っていない俳句作品が、巷《ちまた》に氾濫している」と、警鐘を鳴らした（『現代俳句への問いかけ』邑書林、一九九七年）。発句の構造を持たない作品とは、芭蕉時代の連句でいえば、発句・脇《わき》・第三・挙句《あげく》以外の平《ひら》句《く》である。切れがないために平板で一句独立できず、流れる要素を持った句である。俳句は、切れによって、内容の複層構造を持ち、詩歌として、文学として自立すると説く。一方、平句的俳句は一重仕立てでわかりやすい。コピーライターのコピーのように一瞬キャッチーで大衆の人気をとる。しかし、時間の経過には耐えきれないのである。

切れとは俳意の別名である。それによって、ちっぽけな俳句は広やかな時空へ開かれるのだ。では、実際に切れによる多層構造を持つ俳句をみてみよう。

松籟や百日の夏来りけり　　中村草田男[3]『火の島』

「や」と「けり」と、切字二つはいかがと感じる方がおられるかもしれない。が、両者は勝負独楽のようにはじき合う。「松籟《しょうらい》に百日の夏来りけり」の定式ではソツがなく、息が狭くなる。作者ははつらつと立夏《りっか》の松林を歩く。青海原を透かす松原を涼風が吹き抜けてゆく。頭上はるかを松籟が颯々《さっさつ》と吹きわたる。世間を遠巻きにする千古の風である。そのとき、不易へのあこがれが「松籟や」の切れとなり、ほとばしった。草田男は「や」と、眉を上げる。「百日の夏」は、にわかに炎暑の耐え難い長さを脱皮し、いとしい有限の日々になる。さらに、句末「来りけり」の切れに全体重がかかる。精一杯いのちをかがやかし、碧玉《へきぎょく》のような百日を生き切ろうという決意が、天上の松風と韻《ひび》き合う。昭和十三（一九三八）年、作者三十七歳、新婚時代の作である。二つの切字は、十七音が散文的平面から詩へ飛躍する必然性をもつ。俳句という詩では、アインシュタインの相対性理論を俟《ま》たずとも、時空は平気でゆがみ、伸び縮んできたのである。

この句に出会ったひとは、百日の暑熱《しょねつ》をいとおしく思い、同時に万古の松籟を聴くであろう。そうして颯々の松風と夏の日と、両者を往還するゆたかな時間を生きるであろう。

雪はしづかにゆたかにはやし屍室　　石田波郷(4)『惜命』

「はやし」に切れがある。芭蕉の「行《いき》て帰る心の味はひ」（『三冊子』）を体現した句といえよう。名句は一度読んだだけではおさまらない。一瞬で滴《したた》り落ちるしずくを、胸の水面に受け止めて、ふたたびしずくの一生をゆっくりとたどり直すのである。そうしてはじめて韻文の別乾《べっけん》坤《こん》に迎え入れられる。もしも「雪はしづかにゆたかにはやき」と連用形で「屍室」に続けたら凡句だった。「はやし」と形容詞の終止形の切れが、無音の空間を韻《ひび》かせる。座五におかれた「屍室」によって、霏々《ひひ》と降りしきる雪のさなかに、ぽっかりと深淵が口を空ける。屍室とは、波郷が病を養う結核療養所の遺体安置所である。

切れの機能には、感動、詠嘆、強調、提示、疑問、安定などがある。掲句の切れは、感動、詠嘆だが、同時に空間を普遍化するはたらきも見逃せない。読み手はそれぞれの胸のなかに棲んでいる大切なひとの死を思い出すだろう。「いいえ、母が亡くなったのは新緑のころで雪は降っていませんでした」というひとがいるかもしれない。が、この「雪」は、花も若葉も紅葉も、やがて真っ白に呑み込む雪である。息を引き取ったばかりのひとの生の時間は、翩翻《へんぽん》たる雪となって「しづかにゆたかに」虚空に舞い始めるのである。空間も、結核療養所の屍室という特殊な状況を超えて、あらゆる人の死の床に変容してゆく。それこそが「切れ」のもつ呪力である。さらに、名句の季語は最終的には当季の枠をぬけだしてゆくという大いなるパラドクスにもつながってゆく。

一行書きと多行俳句

ところで俳句はなぜ一行詩なのだろうか。昭和二十五年に高柳重信は多行形式の最初の個人句集『蕗子』を出版した。以後、多行俳句は少数ながら尖鋭な俳人たちによってその地平を広げられてきた。近年の句集から、林桂と上田玄の果実を二句ずつ抽いてみたい。

ダルマさん転《ころ》ぶ
父さん転ぶ
影の中へ

林桂『動詞』

眠れ
山河に
光あるうち

父《ふ》母《も》あるうち　（同前）

月光破瓜
迸《とばし》るものよ
ヒースの神も
葦牙も　上田玄『月光口碑』

声を失くし
耳を失くし
踊らんか
雪の海溝　（同前）

大多数の俳人は多行形式を最初から俳句ではないと拒絶する。わたし自身は一行書きだが、多行の俳句があっていいと思うし、読むのも好きである。これを否定論者の側からいえば、「右に挙げた四句は二一音、二〇音、二五音、二四音、といずれも大幅な字余りで、五七五の定型感覚から逸脱している。季語らしきものは上田にあるが、「歳時記」をはみ出し、季語とは認められない。林の二句は完全な無季句である。俳句の約束をことごとく破っている。ゆえに俳句ではない」、とでもなろうか。虚子も季題（季語）を欠くだけで「俳句ではないただの詩」と一刀両断に切り捨てた。さらに無季の句をつくる俳人を次のように排除したのだった。

それらの人はなおこれを俳句と称《とな》えたがって居るようである。それは詩として存在が薄弱であるから、俳句という母屋《おもや》を借りてその軒下に住まおうというのである。それは弱い。弱い人のする事だ。

（高浜虚子『俳句への道』岩波文庫、一九九七年）

これは「私が俳句だ」といって『金子兜太　私が俳句だ』（平凡社、二〇一八年）という本まで出したひとのスタンスとよく似ていないだろうか。俳句という文芸に母屋があり、その主人は私であるととうぜんのように思っている。思うだけなら害はないが、自己の俳句手法と別の行き方をするひとを「母屋を借りてその軒下に住」もうとすると、流浪者まがいに蔑《さげす》むのはどうしたものか。俳句には母屋も軒先もない。詩人にあるのは曠野《こうや》だけだから。

右の多行俳句には凡百の有季定型俳句にはないポエジーがある。俳句の定型をわたしも大事に思う一人だが、だからといって有季定型を金科玉条、唯一絶対のものさしとして振りかざそうとは思わない。なんにつけ原理主義は危うい。文学である以上、尊ぶべきは形式ではない。俳句という詩精神とその自由な表現である。表現の冒険はあらゆる地平に向かって試みられるべきもの。林桂や上田玄の多行俳句を読むたびに、自分が有季定型に甘ったれていないか、突きつけられる思いがする。

一方でこうした多行表記は、現在欧米でさかんにつくられているＨＡＩＫＵを連想させもする。横書きの俳句は三行書きが多い。管見ながら、こんな体験がある。二〇一四年末のフランス講演で、日本語の俳句と仏訳をパワーポイントの画面に並記したところ、「おー、日本では俳句は一行書きなんですか！」とパリ市民がびっくりしたことにびっくりさせられたのである。たしかに、カフェ・ドゥマゴの向かいの小さな書店で手にした漱石や山頭火の句集はすべて三行のフランス語に翻訳されていた。ドナルド・キーンが英訳した芭蕉の『おくのほそ道』（講談社インターナショナル、一九九六年）の俳句も三行詩である。

俳句という詩を一行に凝縮できるのは漢字文化圏の美技というほかはない。アルファベの表音文字文化圏では、日本の俳句の内容と余白をとても一行には蔵《おさ》めきれない。一行書きでは長い蛇になる。とすると、現在は国内では多行俳句の書き手はきわめて少数派だが、世界ＨＡＩＫＵの表記と親和性が高く、意味の屈折する箇所も一目瞭然で翻訳しやすいことから、逆に海外の読者を得易いことに気づく。将来、主流になる可能性もないわけではない。

といってもわたし自身はやはり一行書きである。最近、多行表記俳人の雄、林桂から一行書き俳人へ次のような貴重な問題提起がなされた。

> 現在に於いても、多行表記を採用していると、一行でも表記できるとか一行でも判るというような批判に遭遇することは珍しくない。しかし、その批評者がなぜ俳句は一行表記なのかを語ることはない。自明のことと思っての上から目線があるだけである。言

わば、「習慣」の上に胡座をかいて、表記の問題を真剣に考えたことがないと言っているに等しい。また、「書く」ことと「読む」ことの意識の混濁を露わにしているだけである。寡聞にして、現代詩で、この詩は改行がなくとも読める、意味が通じるという批評を知らない。また、俳人が、詩人の改行を嗤ったということも聞かない。(中略)短い言葉ゆえに、詩的文脈の屈折を深くすることを宿命づけられている俳句では、その屈折を自覚すれば、多行表記の方がある意味では自然であろう。「習慣」でなく、その詩的文脈の問題を考慮のうえ一行表記を採用するのであれば、むしろその論理立ての方が多行表記よりも先になされるべきものかもしれないとも思える。

(「多行形式への道程」『鬣』第七一号、二〇一九年五月)

なぜ一行書きかと問われれば、わたしなりにこう答えたい。俳句は縦書きが美しい。天から地へと書き下ろし、地から天へすっくりと立ちたい。そのとき、何本もの叢生《そうせい》としてではなく、一刺しの針、一茎の草、一本《ひともと》の木になりたい。けっして横になったり、寝そべったり、流されたくない。切れによって、一本の草のように木のように立ちたいのである。一行のなかに深い大きな切れを畳んで、つつましくまっすぐ立っていたい。小さな自分の足元から立ちあがり、願わくばみどりの葉を空にひろげて風にそよぎたい。はたして、連句の発句から独立した出自を情《こころ》に、天と地を指す一行で立ちたいという切望は情緒的すぎるであろうか。

では次に、いわゆる「切字」がなくても、俳意たしかに深く切れる名句を味わってみよう。

ゆめにみし人のおとろへ芙蓉咲く

久保田万太郎(5)『草の丈』

名詞「おとろへ」に、切れの深淵がある。夢にみた恋しいひとに、歳月を隔ててゆくりなくも再会した。だが、そのひとははっとするほど年を召されていた。ひらがな主体のやわらかな十二拍に、いいしれぬ哀しみがこもる。中七《なかしち》に切れをひびかせ、「芙蓉《ふよう》咲く」でフィナーレを迎えるのはなぜか。芙蓉は初秋の花である。ひときわ大きな薄い花びらが、若みどりの広葉に揺れる。白い花もあるが、ここではうら若い女性を思わせるうす桃色の花冠《かかん》に、蕊《しべ》の乳白色、深部のくれないを思いたい。

芙蓉は一日花である。夕べには、絵巻を丸めたような姿で地に落ち、色を深める。しかしいま、秋気《しゅうき》のかすかに通う日差しに、花のあどけないかんばせは、わずらいの影もなく風にたゆたう。忘れられないあの日の頬のように。ひとの世の何十年が、芙蓉の一日に凝縮され、目の前に咲きゆらぐ。そのとき、慕い続けたひとのやつれは、かりそめの姿、幻になってあとずさる。そのひとは、いまも何も変わらず鴇色《ときいろ》の芙蓉のようにほほえんでいる。

万太郎の切れは、蛇笏や草田男や波郷にみられる漢文体の切れとは趣を異にする。「匂い」「うつり」「ひびき」を重んじた連句の付合《つけあい》めく切れであり、みごとなまでに和文脈の、やまとことばの切れである。切れには俳人の固有の息づかいがこもるのである。

中七《なかしち》で切れながら、上句《かみく》と下句《しもく》はもう一度ひたし合う。乗り入れあう。蜃気楼めいて変容し、ゆらぎつづける切れである。季語の芙蓉は呪力を帯び、そのひとに憑《つ》こうとする。

俳句の神髄

俳句は、切れの余白のなかで作り手と受け手が出会う。切れとは、互いの記憶や感情や体験が変容しつつ、なりかわり合う空間である。能も、何もないシンプルな檜《ひのき》の板、橋懸りを踏んで冥界からシテが登場する。その死に切れぬ情念に、見所《けんじょ》に居てこころ動かされるのは、切れによって舞台に生まれる時空にわたしたちも浸《ひた》されるからである。ひるがえれば、北斎の「なりかわる絵」も、こうした日本の切れのすぐれた一形態と考えることができた（第一章Ⅱ）。

西洋の近代芸術は、芸術家という個の築いたカテドラルを、鑑賞者が一歩外から仰ぐことが多かった。一方、この花綵列島の表現は、つねに作り手と受け手が乗換《コレスポンダンス》するやわらかな相互参加をうながしてきた。作り手と受け手は、絵巻のような水平関係のなかで、なり代わり、なり変わり、共感し合う。ちっぽけな一人のいのちは、余白において、他者や過去や未来へと、かぎりなく開かれてゆく。

ではいったい、この切れのエネルギーはどこからやって来るのだろうか。「棺《かん》を蓋《おお》いて事さだまる」という。しんじつの評価は死後に定まるということわざは、生の時間が、ひとときたりとも止まることがないことを示す。「いま」は瞬時に消え去る。ときにはおそろしい刃《やいば》で襲いかかる。詩人は、生のはかなさを痛感し、無とことばとのはざまに、心臓を脈打たせる。そのときことばは、どうしても一重仕立《ひとえじた》てではいられないのだ。いまここではない時空を希求して脈打つ。「切れ」てつながろうとする。「切れ」は、はかないいのちが他者をもとめる磁場であり、たましいの噴井《ふきい》なのだ。

ひとくちに切れといっても、秀句と駄句の切れには天と地ほどの差がある。サンダルで鼻歌まじりにそこらへんの溝《ドブ》を跨いでも薄っぺらな句にしかならない。名句とは、切れを、芙蓉がゆらぎ白雲がゆきかう深潭《しんたん》になし得た句である。

その深い淵は能の「井筒」で、在りし日の紀有常《きのありつね》の女が長絹の袖を額にかざして覗きみた井戸に似ている。女は死しても消えない情念にたかぶって「見ればなつかしや、われながらなつかしや」と、自他の境をけむりのように越え出る。恋しい業平《なりひら》に憑《つ》いて、感情のなかで一体になるのである。そのとき、見所にいるわたしたちも、幼い日、ともに遊び興じた「井筒」の底に、たしかに女とも業平ともわかぬなつかしい俤《おもかげ》をみるのである。女の情念は花の香のようにくゆって亡きひとと融《と》け合う。俗世の得失を超えた純粋感情の浸透である。幽玄は妄執ではない。思い出そう。井筒の女は、目合《まぐわ》ってから年ふるうちに男がよそに浮気をして、河内の高安にまで通い始めたそのとき、男を引きとめるどころか、こう詠んだ女であったことを。

　風吹けば沖つしら浪たつた山夜半にや君がひとりこゆらむ

峠越えする男の身をあどけないまでに案じている。幽玄とは他者の思いを身にひきうけることであった。幽玄は自我を溶かす。それは能舞台にはとどまらない。ここにも生きている。小さな俳句の切れに。

俳句の「切れ」とは、わたしたちが生きているこの得体のしれなさと、肉体の死による時間の切れの必定《ひつじょう》から立ち上がるものであろう。

II　切れと金雲

西洋人と神社

友人の麻里子さんがパートナーの彫刻家ヤン・テサールさんとフランスからやって来た。二年前にグラン・パレの北斎展のチケットを秘策を講じて入手してくれた恩人である。その鶏と芙蓉の絵のチケットは、いまも机上のパソコンの隅に貼って日々元気をもらっている。なんと十日前に金沢に着き、レンタカーで木曽街道を南下して来たという。ユーラシア大陸のフランス人には、日本列島の幅など、こしぼそ蜂のウエストくらいなのかもしれない。これから麻里子さんの実家がある岡山までゆったり一カ月のヴァカンスを楽しまれるそうな。ヤンさんは、江戸後期に建てられた田の字型の民家に興味があって茅屋《ぼうおく》に来られた。黒光りする板の間に座って、囲炉裏の煙に煤けた真っ黒けの二重梁を眺めている。漆喰壁にすこしずつ傾いた柱や、「うぐいす張り」でもないのに、動くたびに鳴く床板にからだを揺らして楽しそう。西洋人にしても大きなからだと大きな鼻は、ふしぎにも東洲斎写楽の役者絵を連想させた。

どこという観光地もなく、三人で静岡浅間神社《せんげんじんじゃ》に出かけた。境内は神名備の賤機山《しずはたやま》の桜にむせる例大祭《れいたいさい》が終わったばかり。いつにもましてとろりとのどかな空気である。まずは本殿前の拝殿《はいでん》にゆく。といってもそこは橋懸りのない能舞台のような空っぽの舞殿である。稚児《ちご》舞《まい》の余韻が花の香りのようにのこっている。木花之佐久夜毘賣《このはなのさくやひめ》と大国主尊《おおくにぬしのみこと》に手を合わせる。パリはどこまで行っても甃《いしだたみ》だから、玉砂利を踏んで歩くのは面白いんじゃないかしら。社務所向かいの八千戈神社《やちほこじんじゃ》にも詣でる。山から残花《ざんか》のひとひらがひかりの帯を曳《ひ》いてよぎる。境内の七社《しちしゃ》すべてはまわりきれないので、大歳御祖神社《おおとしみおやじんじゃ》を参拝おさめにした。やしろの甍《いらか》はみな照葉樹林のクチクラ層のひかりに埋もれんばかり。春は深い。まぶたにパリの凍《い》て空《ぞら》を、教会の尖塔が刺す光景がよみがえった。一神教文化圏のひとはどう感じるのだろう。ヤンさんに訊いてみる。

「あっちこっち神様にお参りして、節操がないと思われるでしょう」

麻里子さんの仏訳は風より早い。ところが、ヤンさんはちょっと考えこんだ。

「うーん……。どれだけ真剣か、じゃないですか」

くそまじめな顔。思いもよらない答え。笑ってごまかす。真剣ですって。まさか。鳥居をくぐって仕事の肩凝りからほぐされ、ただほんわかしただけ。そのとき、西洋の神様と日本の神様との生理的なちがいが胸に来た。

が、ちがいばかりではなかった。参拝をすませて池へ向かうと、ヤンさんの表情が急にかがやいた。大樟《おおくす》をのんびり見上げている。

「ご神木ですよ」

三人で大樹のもとに行った。麻里子さんは珍しく「樟《くすのき》って何ていうんだっけ」と電子辞書にあたっている。フランスに樟はないのかもしれない。わたしはいつものように木に抱きつきたかった。でも、今日はさするだけにしておく。

「ねえ、ヤンさん。フレイザーの『金枝篇』じゃないけど、民族も国境もなく、人類の文化の始めに樹木崇拝があると思いませんか」

「ええ、僕もそう思います」

「ヤンは石や金属だけじゃなくて木も彫るの。大木があるイタリアまで車で行って彫刻を造ってくるのよ」

「ほう」

からだの大きさはヴァイタリティなのだ。パリとイタリアをやすやすと車で往復とは。友人たちのやわらかな笑顔にカメラを向けた。

そのときである。子どものころの春祭がぼわあっと、背なかのあたりによみがえった。池の周りは花ざかりだ。白い桜の花びらが古池へはらはらとひかりになってこぼれてゆく。金魚掬《すく》い、綿菓子屋、はっかの笛屋、お面屋。人だかりをかきわけ、おどろおどろしい赤や黒のペンキ絵の看板の下まで息せききってやって来ていた。年に一度の大好きな見世物小屋を見上げる。このなかにろくろ首になって火を噴くという、かわいそうでおっかない蛇女がいるという。心臓をバクバクさせながら赤い幔幕《まんまく》のすきまにひいやりとすべり込む。ふわっとしたものを踏んでいた。やわらかな金いろの雲。樟の根元で笑う三人の足元まで、すべてを溶かし込むように、金粉のかすみがどこからかはみだして来ていた。

切れのルーツは金雲か

雲は大気中の気象を代表する。気象とは宇宙の根源にかよう「氣」でもあった。日本の美術史を鳥瞰すると、雲の造型ほど、それぞれの時代精神のありようを直截に映し出すものはないように思われる。変遷のあらましをざっと追ってみよう。

雲は最初から異形《いぎょう》のものとして日本美術に登場している。七世紀の初頭に創建された法隆寺の釈迦三尊像の光背《こうはい》を思い出されたい。瑞雲《ずいうん》とともに七仏《しちぶつ》が釈迦の頭部に向かって舞い降りてくる。が、その早雲《そううん》は七仏の台座の下で火焔にすうっと変わってしまうのである。こうしてはやくも仏教彫刻の濫觴に、その後の日本美術に繰り返される雲の不思議なありようが刻みこまれたのであった。

次に平面作品に眼を転じよう。最古の例は八世紀の『絵因果経《えいんがきょう》』（東京芸術大学本）である。釈尊を讃《たた》えにやってくる天女《てんにょ》たちの足元は雲である。ここでは雲はもうはっきりと、異界を表す乗り物になっている。十二世紀初頭の『源氏物語絵巻』では雲はこまやかな心理的陰影を帯びる。「橋姫」では、姫君らのいる天井へと、暗くなびき入って主人公の運命を暗示する。予兆としての雲の登場である。そのあたりから、今度はこの世ならぬ吉祥《きっしょう》の瑞雲のラッシュが始まる。『信貴山縁起絵巻』の剣の護法《ごほう》も、『鳥獣戯画』の麒麟《きりん》も、瑞雲とともにかなたから現れるのである。『伴大納言絵巻』では雲は物語の場面転換や時空の隔たりをはっきりあらわすようになる。それは後代にまで幅広く見られる雲の定番の役目となるのである。

下って、十二世紀も後半になると、雲はとつぜんゆたかな量感をあふれさせる。『阿弥陀《あみだ》聖衆来迎図《しょうじゅらいごうず》』に至っては雲の芸術といってみたいほど。十三世紀後半、異界から飛来する雲の美は『早来迎《はやらいごう》』（知恩院）をもってクライマックスに達する。夜桜のはかなくあかるむ山水に窓を開け放った念仏者を、西方浄土から早雲が迎えに来る。そのスピード感は、こころもからだもまもなく浄土に溶かし込まれる予兆のなかで、どこか官能美すら漂わせる。こうして古代から中世までの雲は、つねにあの世や異界の暗示であり、乗り物であり、使者であった。異界の侵すべからざるけはいを道連れにしていた。

ところが、である。面白いことに、近世に入るや雲の位相は一変する。ことに十六世紀後半、狩野永徳の『洛中洛外図《らくちゅうらくがいず》屏風』（上杉本）をもってコペルニクス的転回を遂げる。屏風の雲は画面のいたるところをかちどきのように覆いつくす金雲に変容する。ここでは垂直という観念自体がきれいに破壊されてしまう。垂直志向の微弱な絵巻は、ここをもって垂直観念を喪失する。作者の視点は融通無碍《ゆうずうむげ》になり、金雲は地べたまであまねくひろがり出す。建造物といい、人物の足元といい、京の町を溺れるごとく埋め尽くしてやまないのである。

美術史家の辻惟雄《のぶお》は、金雲を日本美術の特質の三本柱のひとつである「かざり」を象徴するものとした。そして金碧障壁画《きんぺきしょうへきが》や金雲の『洛中洛外図屏風』が出現する桃山美術を「かざり」の黄金時代として位置づけてみせた（『日本美術の歴史』東京大学出版会、二〇〇五年）。一方、評論家の加藤周一は日本美学の構造を、この金雲のような抽象的な空間分割と、細密画のこまかい表現、という二つの性質を綜合したものであるとした（『加藤周一セレクション4 芸術の個性と社会の個性』平凡社ライブラリー、二〇〇〇年）。

辻惟雄と加藤周一の創見に一半は同感しつつ、やはりわたしはそれだけではないと思うのである。『洛中洛外図屏風』は、京の路地を武士も法師も町民も、子どもや犬までが噎《むせ》かえるような金雲を踏んづけて往来している。これを大いなる思想の転換といわずに、なんとしようか。

四世紀前の十二世紀には、『餓鬼草紙《がきぞうし》』『病草紙《やまいぞうし》』で、この世の無常のむごたらしい諸相を繰り広げる穢土《えど》として描かれた京の小路である。そこがいまや金地金雲に埋め尽くされてしまった。この新たな事態を「あの世がこの世に降りてとけ合った」と、いってみたいのである。

憂世と浮世、聖俗、生死、遠近、強弱、貴賤、美醜、賢愚……あらゆる価値の相対化を、思想や哲学がことばで説明する前に、美術がいちはやく実現してしまったのである。価値の相対化とは、多様な価値観の肯定であり、いのちの平等宣言である。異界をそこはかとなく暗示していたすやり霞《がすみ》や雲が、有情の足元を埋める金雲になったのは、遠近法の中心が無く、うつろう視点の多様性を肯定する先に詳述した万物斉同をはじめとする「絵巻の思想」の充実であり、まさに積極的展開である。日本美術にふんだんに描かれた金雲はけっしてたんなる「かざり」なぞではなかった。それは異界との同居宣言なのだ。虚と実の同衾、もっといえばあらゆる両義性に生きる日本美の宣明にほかならないのである。

むせかえるような金雲に埋もれる『洛中洛外図屏風』は、応仁の乱後の落ち着いた京都を描いた「歴博甲本」に始まり、狩野永徳の「上杉本」から、浮世絵の祖と目される岩佐又兵衛の奔放な「舟木本」に、さらには江戸初期の穏やかな「福岡市博本」、「勝興寺本」、「池田本」へと、変奏してゆく。ほぼ同時期に黄金の雲は、『十二ヶ月風俗図』（山口蓬春記念館）、『住吉社頭《すみよししゃとう》図《ず》』（京都国立博物館）、『四条河原遊楽図屏風』（静嘉堂文庫）、『桜下《おうか》弾弦《だんげん》図屏風《ずびょうぶ》』（出光美術館）などなど、数限りなく描かれ、同胞に愛され親しまれてきたのである。

言説化された思想だけがひとり思想を語るのではない。美術は、人類の古代から文学や思想に先行することが多かった。ほんの一例に過ぎないが、たとえば、アナトリア半島西部の出土品で紀元前三〇〇〇年前後のものという、神か人かさえわからない、鳥のような宇宙人のような清朗な精神の立ち姿、『スターゲイザー』ひとつを思い起こすだけでも、その間の消息は明白といえるのではなかろうか。

先に、俳句の「切れ」の先行文化に能と茶の湯の文化があることを指摘した。俳句の「切れ」の成立をうながした芸術の象徴的な先例を美術に求めれば、この『洛中洛外図屛風』の金雲にゆきつくのではないか。日本美術が十六世紀に到達した金雲の表現は、「かざり」という装飾志向や、縄文土器以来の具象と抽象の綜合という観点だけではけっして解き明かせない。新たな事態、新たな生活思想の出現とみなすべきものだ。それは生命観、世界観の底を破った桃山時代のエネルギーが可能にした精神のパラダイム・シフトであり、新しい文化ステージへの跳躍であったといえよう。

とはいえ、文学の領域に何も予兆がなかったわけではない。爆発的な金雲に屛風が埋め尽くされる半世紀ほどまえに、『閑吟集』は、憂世から浮世への転換を予言する自由な庶民感情を小歌にしていた。

なにせうぞ、くすんで
一期《いちご》は夢よ、ただ狂へ

夢とは自らの想念の作り出した対象にもてあそばれること。ならばいっそ、もてあそばれてみようじゃないの。もろともに金雲の谷間にとろけようぞ。ここでは面白いことに健康と退廃が一枚のものになっている。狩野永徳を重用した太閤秀吉が、金雲の谷間に溺れ死んでゆくかの辞世《じせい》をのこしているのも、なにも不思議なことではないのである。

露と落ち露と消えにしわが身かななにはのことも夢のまた夢

秀吉から約百年後に芭蕉は、「西行の和歌における、宗祇の連歌における、雪舟の絵における、利休が茶における、その貫道する物は一なり」（『笈の小文』、『芭蕉文集 去来抄』完訳日本の古典五五、小学館、一九八五年所収）と宣明した。自己のオーソドキシーを誇る横顔はあまり好きにはなれないが、それはさておき、利休の侘び茶の精神を唯々《いい》諾々《だくだく》と受け継ぐだけなら宇宙のエロス三部作（第一章 Ⅵ）など生まれようがなかった。芭蕉がうち樹《た》てた「切字」と「切れ」の文学、蕉風《しょうふう》のルーツには、一見逆のようだが、洛中洛外図屏風、金碧障壁画、慶長の野外遊楽図、祇園祭礼図、寛永の遊楽人物図（桜下弾弦図屏風）など、一瞬に溶かし込むことですべてを超える「切れ」としての金地金雲との出会いがあったのではなかろうか。いや、伊賀の郷里藤堂家の若当主、蟬吟への出仕時代や、各地の富裕商との付き合いの中で、こころに染み込む体験として身近にあったにちがいないと想像されるのである。

たとえば永徳の『洛中洛外図屏風』の金雲の谷間には、紙燭《しそく》をかかげてこんなふうに御殿廊下を急ぐ女がいてもおかしくはない。

秋灯を明《あか》うせよ秋灯を明うせよ　星野立子[6]『実生』

命令形の「せよ」の切れを持つ古語の口語十音をリフレインしためずらしい句形である。秋のともしびを明るくかき立てなさいと呼びかける句。それだけといえばそれだけ。単純さが、かえってこころにしみるのである。つるべ落としの日がとっぷりと暮れ、灯芯を点《とも》しても周りにはひょうびょうとした闇が迫る。「明うせよ」というおおどかな口調は、作者の息づかいそのものである。古雅な畳句《じょうく》に、いにしえびとの吐息が重なる。いっそう夜は長く闇は深まる。淋しいのはわたしだけではない。千年前のなま女房もまたと、われとわが身をふるいたたせる。紙燭をもった小女《こおんな》が胸のなかにいつか棲みついてしまう。

クリムトの黄金

ところで、金をつかった美術品は古今東西おびただしい。西洋の近代にも黄金の画家クリムトがいる。十八のときからの眷恋《けんれん》の画に、二〇一四年の冬、ようやく逢いに行った。ウィーン空港に着くやいなや、巨大な壁面に引き伸ばした『接吻』のグラフィックアートに華々しく迎えられた。照れくさい。

モーツァルトの旧居裏のこぢんまりしたホテルに泊まり、地図を片手に分離派会館の『ベートーヴェン・フリーズ』（一九〇一年）を見にゆく。金色キャベツの屋根が目印である。地下の細長い白い部屋の三面上部がぐるりと壁画になっている。フリーズ（帯状装飾）と称さ

れているが、これはどうみても絵巻であろう。ジャポニスムの影響をおもいきり受けた西洋人が描いたそれは、

①ストーリーに沿って進み、

②どこも中心とはいえず、

③垂直より水平方向の長さが圧倒的で、

④余白が大きく、

⑤一視野に収まらない画面は鑑賞者の移動する視点を期待している。

ざっとあげても、以上五つの絵巻の特徴を完備している。第一面の「幸福へのあこがれ」は、やせ衰えた男女が黄金の騎士に助けを求める場面。第二面の「敵対する力」では、人間の弱さは貪欲な悪辣《あくらつ》さと巨大な怪物にいたぶられる。第三面の「この接吻を全世界に」は、歓喜の歌につつまれた男女の抱擁をもって終結する。その場面の直前に大きな余白がある。詩歌の女神ムウサが竪琴《たてごと》を胸に抱いて祈りを奏でている。

　ぐるり三壁面の長尺の絵にとりまかれて立っていると、聖と俗とのせめぎ合いから清らかな哀しみのうたが聞こえる。ベートーヴェンの『第九』鑽仰《さんぎょう》がモチーフとされるが、人間と芸術という人類普遍のテーマに投企したクリムトの素《す》のたましいと向き合うようだ。これは日本の絵巻の手法を取り入れながら、膝前に親しく手繰り寄せるものではない。頭《こうべ》を上げて仰ぎあこがれるものだ。精霊や騎士や女神に施されたクリムトの金は、あらゆる差別を呑み込んで犬も子も遊女も将軍ももろともに溶ける金雲ではなかった。孤立して永遠に凍りつく

金であった。前者は個我のとける金。後者は魂のうたう金。

翌日はひと気のないウィーンミュージアムで『エミーリエ・フレーゲの肖像』と向き合った。

わうごんの立《たて》涌《わく》模様ゆらぎやまぬ水の底ひの女《ひと》とおもへば

その後ベルヴェデーレ宮殿の『接吻』の前に立った。積年の思いが堰《せき》を切《き》ってあふれた。

星ぞらのはても花野よしらつゆの宇宙ふくらむまへの接吻

近々と見ていてもクリムトの金はゆらめきつつ遠ざかる。それは魔術的な官能性を秘めて瞬間と永遠のはざまに揺曳《ようえい》する。クリムトの金は永遠を、この世ならぬものをほのめかし、彼方に結晶しようとしていた。いま、ここ、から遁《のが》れ続けていた。

切れは異界との同居

六世尾上菊五郎の訃、到る。……七月十日のことなり……

夏じほの音たかく訃のいたりけり　久保田万太郎『流寓抄』

はつ夏のまばゆい浜辺に潮鳴りが高くひびき渡った。かけがえのないひととの死の知らせであった。現実のそれは電報であったか、黒電話のけたたましいベルであったか。「けり」の切れによって、夏じほの音と訃音《ふいん》に詩の橋が架かる。青海原の長濤《ちょうとう》がはるか彼方よりスローモーションのように迫ってくる。その恐ろしさ。無声の慟哭《どうこく》。

沖には入道雲が森閑《しんかん》とかがやき、黒潮は生き物のようになめらかにあおあおと脈打つ。うかがいしれぬ海底の暗さ。もしもこれが「夏潮の音高く訃の至りけり」と漢字混じりの表記であったら、句のいのちはなかば死んでしまったであろう。「夏じほ」「音たかく」「いたりけり」とひらがなのもつ柔らかな風合いは、あのふしぎな時を超える金雲を青海原に湧き立たせていまもやまないのである。

短夜のあけゆく水の匂かな　　久保田万太郎　『流寓抄』

ミニマルアートさながらのシンプルさ。あっけなく明ける夏の夜、あっけなく終わるひとの一生を暗示する興の俳句である。いのちのはかなさは季語の「短夜」に託され、万人の五体に染み付いたなつかしい「あけゆく水の匂《にほひ》」にとかしこまれる。ほのかにやさしい人肌のようなやまとことばの調べにのせて無常をそこはかとなく嘆いている。旧友芥川龍之介が万太郎を評した「嘆かひ」の感情は、人間の感覚を超えたものにまで開かれていそうだ。自我がとけ彼我《ひが》の境をとけこませる金雲の思想は、ここにもそこはかとなく金砂子の光芒を曳いているように思われる。

ひとは目の前にある現実だけでは生きられない。虚実のゆたかな混交に生きる。俳句の切れはその虚実のせめぎあいをいのちとする。俳句は切れによって広やかな時空を包摂し、他者に開かれる。俳句の切れは、言い換えれば自己完結しないこと。どんなに遠く隔たった人ともあたたかく深くつながることができる。双方向芸術ＨＡＩＫＵが愛されるゆえんはそこにある。切れをとおしてわたしたちは時空が生成変化するゆらぎに立ち会う。切れと余白は俳句にとどまらない。異界も冥界もなく、あらゆる他者とゆたかに同居し合う日本の深い思想に、すでになっているのである。

（1）三橋鷹女（一八九九～一九七二）千葉県生まれ。若山牧水に私淑し短歌から創作に入る。夫のすすめで俳句に転身。原石鼎、小野蕪子、高柳重信の俳誌に関わる。句集に『向日葵』『白骨』『羊歯地獄』『橅』など。

（2）若山牧水（一八八五～一九二八）宮崎県生まれ。歌人。詩歌雑誌「創作」主宰。詩歌総合雑誌「詩歌時代」創刊。歌集に『海の声』、『別離』など。

（3）中村草田男　（一九〇一～一九八三）　中国アモイ生まれ。国文学者。高浜虚子に師事。「万緑」を創刊・主宰。忌日「草田男忌」は夏の季語。句集に『長子』『火の島』『来し方行方』など。

（4）石田波郷　（一九一三～一九六九）　愛媛県生まれ。水原秋櫻子の「馬酔木」を経て、「鶴」を創刊主宰。結核と闘病の生涯。句集に『鶴の眼』『風切』『惜命』など。

（5）久保田万太郎　（一八八九～一九六三）　東京都生まれ。劇作家・小説家。松根東洋城に師事。のちに俳誌「春燈」を創刊主宰。万太郎の作品について詳しくは『久保田万太郎俳句集』（恩田侑布子編、岩波文庫、二〇二一年刊）を参照されたい。

（6）星野立子　（一九〇三～一九八四）　東京都生まれ。高浜虚子の次女。「玉藻」主宰。句集に『鎌倉』『立子句集』『実生』など。

終章

水、呼び交わす

I　無常と異界

無常を転じる

ひとはオギャーと生まれる。しまいには棺《ひつぎ》の蓋を覆う。この生と死の前と後ろに、どれほど長い時間があるのだろうか。そう思って気の遠くならないひとはいないだろう。生の短い盛りと、老病死という必定《ひつじょう》の無常に対峙して、人類はさまざまな宗教や思想哲学を生み出してきた。ところが日本においてそれは、西欧のように論理的な思想哲学書の形をとることは稀であった。むしろ、認識と感情と身体の渾然たる表現として、美術や文学や演劇や芸道という生活に膚接《ふせつ》した妙体《みょうたい》となって生きてきたのである。それはくっきりとしたギリシャの海岸やアルプス山脈のような壮麗なものではなかった。むしろ日本の家屋でいえば、踏んでいるのに気付かない根太《ねだ》のような奥ゆかしい思想であった。自然に譬えれば、常盤木《ときわぎ》の山々をうるおす霧や清流のような姿だったのである。

であるならば詩歌文学において、上代からの古歌と現代の俳句を併読することはたんに表面の技法を比べるだけの営為にはとどまらないだろう。無常や異界がそこにどう表現されてきたかを通して、すでに世界詩のフィールドに立ったＨＡＩＫＵの、明日の地平をさぐることができるかもしれない。

朝露に咲きすさびたる鴨頭草《つきくさ》の日くるるなへに消《け》ぬべく思ほゆ
作者未詳『万葉集』巻十、二二八一

露草も露のちからの花ひらく
飯田龍太(1)『百戸の谿』

草かげに瑠璃色《るりいろ》がぽっちりと点《とも》っていたら、それが露草。この花の上に朝露の透明はきわまる。二枚の飛び立とうとする花弁の下にもう一枚霧色の花びらがある。そこからミニチュア細工のようなあざやかな黄の蕊《しべ》がこぼれる。「なにもなにも、小さきものはみなうつくし」(『枕草子』)である。梅雨時から咲くのに秋の季語となっているのは、秋気《しゅうき》に磨かれ、つゆけき朝になって青色が澄み切るからであろう。

上代には布を染める染料にもちいられたので着草《つきくさ》、月草ともいわれた。万葉の歌は露草に仮託した相聞《そうもん》である。朝露に凛と咲く露草が日の傾きとともにしおれるように、あなたを思って私も夕暮れの闇に消え入りそうですと訴える。可憐な花の盛衰に自らの恋のはかなさをかさねたみずみずしい無常である。

かたや、龍太の俳句は「も」につよい含意がある。「露のちからの花ひらく」のは露草にかぎらない。虫も小鳥も人間も、はかないいのちを精一杯ひらく。無常を肚《はら》の底に引き受けたいのちは消極から積極へ転じる。指先ほどの花のかなたに秋の高空がみえてくる。

露草は温帯モンスーンの東アジアの花である。そのせいか乾燥した西欧の都市で甃《いしだたみ》の上を歩いていると、青の点滅する草むらが無性になつかしくなる。露草のまとう水はやがて霧や雲や雨になり、水分《みくまり》から滝へ落ち、みどりの潭《ふち》になり、大河をなして海へそそぐ。いつか雲となってわたしたちのもとに還《かえ》ってくる。喉をうるおし、苔に草に作物になり、大樹にかよい、千変万化してとどまることがない。人間のからだも赤ん坊は八割、年寄でも五割以上が水分という。そもそも太古の海から上がって来たのだもの、細胞の大半は水なのだ。ひとは水でつながっている。いのちの曼陀羅《まんだら》の起点には水がある。水は呼び交わす。

俳句は和歌の無常の嘆きを積極へ転じようとする。そうしてこころの巡礼となってゆたかに遊ぶ。幽明界《ゆうめいかい》を遊び抜けた偉人、北斎の辞世《じせい》を思い起こそう。

飛《ひ》登《と》魂《だま》でゆくきさんじや夏の原

後世のわたしたちの生を励起《れいき》してやまない一句である。北斎のたましいは完全燃焼して空にはじける大花火かもしれない。「気」となって地球を見下ろしたら、大輪の薔薇より、朝露をやどす露草がどんなにか恋しいことであろう。

客人と主人公

立ちのぼるみなみの果に雲はあれどてる日くまなき頃の虚《おほぞら》
藤原定家『拾遺愚草』

炎天へ打つて出るべく茶漬飯
川崎展宏《てんこう》(2)『秋』

炎昼《えんちゅう》に定家は南の果てに立ちのぼる積乱雲を仰ぐ。「雲はあれど」の逆接の助詞「ど」の切れは深い。底ぐらい屈折が一首を響《とよ》もし、琺瑯質《ほうろうしつ》の入道雲は魁偉《かいい》な輝きのまま立ちすくむ。日盛りだけが森閑と虚空を領する。ここには何もない。暑ささえも。虚無が光彩陸離《こうさいりくり》たる大《だい》伽藍《がらん》と化した異様さである。定家を読むということは定家の伽藍の客人《まろうど》になることだ。十九世紀のボードレールに代表されるフランス象徴詩を俟つまでもなく、日本の象徴詩はすでに十三世紀の定家や式子内親王《しょくしないしんのう》によって頂点に達していた。

では、展宏の夏はどうか。この暑さ。食欲もない。お茶漬けサラサラかっこんで、いっちょ、やったるか。じりつく炎天へ、いざ出陣！と、鼻の穴をちょっとだけふくらませる。「打つて出るべく」と大上段に振りかぶり「茶漬飯」でサゲたのがオツ。第一義の主体は作者だが、鎌倉時代の武士だっていいし、大井町あたりの営業マンだっていい。この句の主体はなりかわる。そう、乗換《コレスポンダンス》可能だ。掲出句は炎天といういわば人為を超えた逆境に対して、もっとも安上がりなお茶漬けで元気をつけ、ひと仕事しにゆく生活者の実感である。

十七音をつぶやくだけで誰もが句の主人公になれる。北斎の『富嶽三十六景』や一茶の〈うつくしや障子の穴の天の川〉のように、身幅から広やかな場所へ飛び立つ。短歌は堂上人《どうじょうびと》の和歌につながるが、俳句は地下人《じげにん》の俳諧の連歌に出自をもち、気取らぬ笑いを誘う。ここには国際語になった〝カワイイ〟も顔をのぞかせていよう。

「無」「空」「涅槃《ねはん》」「道」「渾沌」と、かりそめに名付けられた東洋思想の核心は、論理のことば、ロゴスでは表現できない。そこにどうしても神秘主義への誘惑が生まれる。が、道元は、神秘を押し戴《いただ》いてはいけないよと、いった。「神通《じんづう》は、仏家の茶飯」、茶漬飯なのだよと。清らかな心で「吾常《われつね》に此《ここ》に於て切なり」と日々精励し、揺れ悶えるなかに未知の何かが生まれよう（道元『正法眼蔵　二』「第三十五神通」岩波文庫、一九九〇年所収）。

定家の従来の規矩《のり》を超えた和歌と、展宏のいかにも俳味横溢の俳句と、どちらがいいかではない。どちらもいい。詩歌文学に進歩はない。その時代ならではのいのちの美酒があるだけ。

一息のなかの異界

上代の『古事記』において倭建命《やまとたけるのみこと》の薨去《こうきょ》はもっとも抒情的な場面のひとつである。東国を平定して倭への帰途、伊勢の国能煩野《のぼの》で終焉をむかえる。いまわの息が、国偲《くにしの》びの歌になった。

倭《やまと》は國のまほろばたたなづく青垣山隠《やまごも》れる倭しうるはし　倭建命　『古事記』中巻

うるわしい想像力そのものが晴れやかな呱々《ここ》の声をあげた歌。しかし、それが辞世であることに日本美のパラドクス（第一章　V）が胚胎《はいたい》している。眼前にないもの、触れえぬ非在のものをうたうときに、もっとも詩が昂揚《こうよう》する日本の美の特徴を、この白鳥の歌にすでにみることができる。

青旗《あおはた》の木幡《こはた》の上をかよふとは目には見れども直《ただ》に逢はぬかも

倭大后《やまとのおおきさき》　『万葉集』巻二、一四八

万葉の挽歌《ばんか》は直截に胸を打つ。青旗は木幡にかかる枕詞《まくらことば》である。そしてこの枕詞は、「青々と葉の茂る木々を青い旗に見立てて、地名「木幡」にかかる」という辞書的意味を超えて、再生あるいは招魂を祈る呪《じゅ》の詞《ことば》であり、やまと版の「興《きょう》」の詞なのである。山科の木幡のあたりの青々とした木の上を天智天皇の魂が天翔けっていらっしゃる。それは眼には見えても、もう手をとってじかにはお逢いできないのですねという。古代人は死者の魂が空をとぶことを信じていた。幻像は見えても肉体はないという、生と死に引き裂かれた現実の変容、異界との切ない併存がはやくもうかがわれる興味のつきない歌である。

春の夜のやみはあやなし梅花色こそ見えね香やはかくるゝ

凡河内《おおしこうち》躬恒《みつね》　『古今和歌集』

春の夜の闇ほど理屈に合わないものはないと拗《す》ねてみせ、下句では梅の花の色は見えないが香は隠しようもないと、つまりは香りを讃嘆する。春夜の艶やかさにくねるようにじゃれつく機知と口調に平安前期の駘蕩たる気分があふれる。こうしてあまたの歌に詠まれながら、季の詞《ことば》は日本の美意識の規範をかたちづくってゆく。世界を認識する手立てとしての日本語の分節機能は、『古今和歌集』の打てば響くような身体感覚と美意識によって洗練され磨き上げられていった。

日本の思想家で初めて、西洋思想・イスラム思想・東洋思想の三本の矢をつがえた井筒俊彦は、現実は多層構造をなしていて、それに見合う認識の多層構造をもつのが東洋思想であり、ことに、無分節の「無」という意識のゼロ・ポイントから還って来たものの見る光景こそ大事だと、いった（『意識と本質――精神的東洋を索めて』岩波文庫、一九九一年）。

多層構造をなす知情意の深みから雲母《うんも》の薄い切片を重ねるかの三十一文字《みそひともじ》を奏でてみせたのは鎌倉初期の藤原定家である。和歌史上における無常観の変容を告げる、エポックメイキングな二首を並べてみよう。

月やあらぬ春やむかしの春ならぬ我身ひとつはもとの身にして

在原業平　『古今和歌集』

たまゆらの露も涙もとゞまらずなき人こふる宿の秋風

藤原定家　『新古今和歌集』

業平の歌は、月や春という自然の姿に恋人の心変わりをなぞらえて嘆き、身を揉むわれを世界の定点に置いている。わたしは変わらない。「我身」は無常を嘆く側にいるたしかな存在として自覚されている。

かたや鎌倉初期の定家の自己洞察は、シビアに底が抜ける。最愛の母の死を嘆く涙さえ草葉の露のように秋風に散りしく。われこそが無常の正体である、というのだ。諦観のしびれるような苦《にが》さは中世の底しれぬ闇を告げる。もはや業平の奔放で甘やかな中古の浪漫精神にもどることはできない。定家の美の殿堂は現実への深い絶望を紙背《しはい》に透かす。その最深部に、耳にする音色からさえも離れた、といってみたい無音の音楽を韻《ひび》かせる名歌がある。

梅の花にほひをうつす袖の上に軒もる月の影ぞあらそふ

藤原定家　『新古今和歌集』

梅の花が闇の鎮《しず》もりのなかに匂う。欄干《らんかん》に凭《よ》るひいやりとしたわが袖の上に、梅の清香《せいこう》と月のひかりはいま、醇乎《じゅんこ》たる波長をあらそう。かおりとひかりは競いつつ空薫《そらだ》きもののようにたましいにしみ入る。夜光貝の螺鈿《らでん》よりも透きとおる哀しみを道連れに、定家の眼には死者たちの栖む白玉楼中《はくぎょくろうちゅう》が透かしみえている。「月の影ぞあらそふ」は、たましいを彫琢《ちょうたく》する永久運動であろう。一首の調べは、意味を超えて呪にとどく。覚醒と酩酊の波を繰り返す月光の迷宮へ、読み手はみちびかれてゆくのである。

　水澄みて金閣の金さしにけり　阿波野青畝《あわのせいほ》(3)『国原』

　はるかな嘶き一本の橅を抱き　三橋鷹女『橅』

　俳句に揺曳《ようえい》する異界もまた多様である。焼失前の古色を帯びた金閣寺は黒ずみ、やつれた金箔が秋の真澄《ますみ》の水に映じている。足利義満《よしみつ》在世時のあでやかな姿から五百余年後のさびの美まで、「さしにけり」の措辞《そじ》は、差す、射す、点す、潮《さ》すと、イメージの多層構造にゆらぎ、剝落《はくらく》を続ける金閣は水面にたゆたう。刹那、澄んだ秋の池に泛《うか》ぶ金は聖性を帯びる。俳句が無常に自足するたまゆらといえよう。

　かたや、鷹女の「はるかな嘶《いなな》き」はどこからやってくるのか。女は峠で橅の大樹を抱いている。コルク層の厚いその肌に頰を寄せると、ゆたかな秀《ほ》つ枝《え》へ水の上《のぼ》りゆくけはいがする。山の音のさらに奥処《おくが》に馬の嘶きが聞こえる。女の黒髪は宇宙に流れる気を帯電し、毛先から鬣《たてがみ》に変わってゆく。鷹女は間もなく悍馬《かんば》となって天翔けり、他界と嘶き交わすであろう。

かつて、〈冬天へらくがきをして昏れてゐる〉と自嘲した作者は、終焉の句集では祈らずにはいられなかった。ぐらぐらする恋の大地に立つとき、眼前に死を控えるとき、祈りと呪は等価になる。

こうして上代から現代まで、詩歌は異界とつねに同居してきた。茶の湯、絵巻、能においても、日常と異界は溶けあってきた。それが時代やジャンルを問わず一貫した日本文化の特徴である。なかんずく俳句の最短フォルムはそれを際立たせる。茶室や能舞台は石造りの西洋建築と較べれば簡素だが、それでもおいそれとは持ち運べない。俳句は寝床でも厠《かわや》でも胸《むね》三寸《さんずん》に納まる。海外でも人気のドラえもんの四次元ポケットに似ているかもしれない。一息のなかに異界がある。

季語は、井筒俊彦の「言語アラヤ識」を俟つまでもなく、ことばの薫習《くんじゅう》の深みであり、ぬかるみである。時空を圧縮したタイムトンネルとしてそれは異界を内包する。自我と一対一の対応をする対象物ではなく、風土や共同体とともにある面的なひろがりをもつ（第三章　Ⅲ）。

とある夏、都心の公園に行ったら、ポケモンGOに夢中な親子のすきまを遠慮がちに歩く羽目になった。蟬時雨《せみしぐれ》のなかで蟬取りをする子は一人もいなかった。一匹の蟬にははるかな遺伝子の旅をしてきた地球の根っこがある。電子画面に浮遊するモンスターなんて、電脳ゲーム会社のプログラムに千二百グラムの脳みそが遊ばされるだけじゃないの。

いや、まてよ。人間は現実だけでは満足できない。それは動物と植物の食餌《しょくじ》システムの差からくるのかもしれない。植物は光合成ができる。一箇所にじっと居て動く必要がない。動物は食べ物を探さなければ生きられない。ヒトは食べ物を求める行為のなかで、豊かな幻想能力や想像力を獲得してきたのかもしれない。バーチャルリアリティに夢中になるのはなにも電子ゲームとともに始まったことではない。史上最高の小説といわれる、『ドン・キホーテ』も、騎士道物語に淫《いん》した書物オタクのおっさんの話だ。いまさらポケモンGOを責められない。訊けば、想像上の不思議な生き物と虚実こもごもの遊びをするそうな。そばに身近な異界があって共生しているのは俳句と同じ。ポケモンGOを手にした世界中の若者が、やがて俳句に乗り換えることを祈りたい。さびしいときこそつぶやきたい。一息でリフレッシュする詩の泉を。

Ⅱ　二股大根のほほえみ

死ねばこの世になる

いっぺん、死ぬとは思わなかった。

オエ〜ッ。胃がとび出しそう。S医師がいう。

「もうすぐ楽になります。あとは管《くだ》を引くだけですから」

　記憶の最後にある声。気がついたら内視鏡の検査室ではなかった。ここはどこ。見たこともない部屋に寝かされていた。薄もも色のカーテンの向こうから診察室の声が漏れてくる。おや、どうしたの。なぜ、こうしているの。腕時計に目をやった。まさか。検査は朝八時だったのだ。お昼をとっくに過ぎている。いままでわたしは何をしてたの。看護師さんに連れられ、ふたたび診察室に。

「気分はいかがですか。検査の途中からどうもおかしくなられたんですよ」

「先生がいまから管を引きますよ、とおっしゃったのは憶えています。そのあとが消えて、なんにもないんです」

「意識はちゃんとあって、いろいろお話ししたのですよ」

「えっ、そんな」

「アレルギー体質とか、昔ペニシリンショックになったとか、繰り返し訴えられました。どうもですね、イッカセイゼンケンボウが疑われます。念のため脳のＣＴを撮ってもらいましょう」

　思いがけない事態である。十年振りの胃の検診がこんなことになるとは。頭がなんとなくぼおっとしている。すぐに大病院の脳神経科に回された。ＣＴ画像を見せられた。

「脳梗塞などの異常はないです」

　ほう、よかった。代わりに「一過性全健忘」という名を憶えて帰った。煩悩だらけのわが身である。Ｓ医院で何を口走ったかしれやしない。記憶がないのはスクワレる。実感では数時間死んで生き返ったかのよう。

なあんだ、と思った。身幅ほどの円相《えんそう》がまぶたに浮かんだ。禅僧が墨で一筆書きする太かったり、細かったり、濃かったり、にじんでいたりするまるである。内側から外側へ知らずに跨《また》いで、また内側に帰って来たんじゃないかな。

記憶がまったく飛んでいた数時間は死んでいたのと斉《ひと》しく思えた。臨死ではなく模死体験か。自分がこの世にいなかった世界は、あんがい気持ちよかった。死は、わりかし明るそうだ。わたしと思い込んでいるちっぽけなあぶくがプチンとはじけるだけかも。はじけてこの世に戻る。この世にすうっと解消する。それだけのこと。死ねばおしまいとか、暗い闇の世界に行くんじゃないってことが、なぜかストンと肚落《はらお》ちした。そうだ。

「死ねばこの世になる！」。

その日から、である。未練なく円を跨ぎたいと思うようになった。できれば、気持ちよく。「いつまでも世界が伸びやかな美しいところでありますように」と祈りながら。もしこの世に恨みつらみ憎しみがあったら気持ちよく円を跨げないだろう。「この世になる」こと自体、うれしくなくなりそうだ。「死ねばこの世になる」のがうれしくなるように生きよう。ちょっと、粛然《しゅくぜん》とした。

「まったく大げさだよ。睡眠やアルコールで記憶が飛ぶのと同じじゃないか」

医学生の愚息にからかわれた。そうかな。本人にとって記憶は飛んだのではない。消えて失くなった。「死ねばこの世になる」という実感だけがたしかに残ったのである。

「生は寄することなり、死は帰することなり」という『淮南子《えなんじ》』のことばが思い出された。寄せては帰す波のようにである。

絵巻は一人の人物がそこにいなくなってもずっと続く。巻き取って誰も見えなくなっても、居たというそのこと自体はなくならない。そういえば死を怖がるのは帰郷を忘れた故郷喪失者《デラシネ》だと、『荘子』はいっていた。辺境の娘麗姫《りき》は晋王の側室になるのを悲しんで泣いたが、ひとたび王宮のひとになると、昔涙したことを後悔したという（『荘子』内篇「斉物論篇第二」）。

わたしたちはこころの底では自分ではない他人や動植物に、程度の差こそあれ共感していることが多い。でも、大人でいなければならないので、感情にブレーキをかけなければならない。その点、絵巻を味わうのにはなんの遠慮もいらない。素っ裸のこころでどうぞ。長い絵巻は、巻けば軸一本になる究極の入れ子だ。そのうえ、持ち運びも自由。貴顕《きけん》も庶民も、牛馬も草木虫魚も、生きる喜怒哀楽を全身にあらわして表情をかがやかせている。

俳句で、そうした平等のいのちのつややかさを絵巻さながら表したのが阿波野青畝《あわのせいほ》（一八九九〜一九九二）である。

奈良に生まれ大阪で暮らした。幼少時の病気で難聴になり、十一歳で母に死なれ、三十四歳で先妻に、四十六歳で後妻に、五十二歳で長女にまで先立たれた。しかし、その精神は現実の度重なる悲しみにやつれることはなかった。二十代から九十三歳まで、あたたかくふくよかな風味ある詠草に生きた。その晩年の句をみてみよう。

一片の落花乾《けん》坤《こん》さすらふか　八十三歳作『あなたこなた』

ひとひらの桜の花びらにこころが吸われてゆく。落花は蝶のようにひかりに満ちて舞い上がり、青空にとけるかと思いきや、はらはらと尾を曳《ひ》いてみどりの山肌をさまよう。やがて涙のようなひかりとともに谷底ふかく浮遊する。「乾坤《けんこん》さすらふか」と問いかける口調はまるでなだめるかのよう。しみじみとやさしい。胃カメラごときに失神したチャチないのちまで微笑んでくれそうだ。「乾《けん》」には陽、天、玄、男の意が、「坤《こん》」には陰、地、黄、女の意があると『易経』は説く。そうした意味をすべて忘れ去っても、この句は言語音楽の魔術師が一つの乾坤を感じさせてくれる。つまる促音「っ」を前半に二度、「け」「こ」「か」のK音を後半に三度調べる「青畝マジック」の韻《ひびき》は、花びらを重力からゆるやかにとき放つ。ゆっくりと声に出して朗唱していただきたい。ひとひらの花びらはいつまでも宙を彷徨《さまよ》うであろうから。

肉塊に沈没もする神輿あり　八十六歳作『除夜』

「神輿《みこし》」は夏の季語。風土をともにする共同体の祈りのこもる「輿」である。男たちが裸で揉み合うふんどし一丁の祭り。担《かつ》ぎ手《て》の肩という肩、腕という腕が波のように盛り上がる。

勢いに乗った神輿は筋肉のうねる渦に呑み込まれ、町内の軒という軒をこするばかりに波打つ。勇壮ないのちの歓喜を味わうのがこの句の本道である。ところが名句は平気で越境する。ダブルミーニングの道草は一粒で二度美味しい。神輿はまさに輿の詞。人間精神の隠喩としても味わえる。高貴なこころはたちまちふくよかなお肉にも沈没する。ええじゃあらへんか。色香に溺れる人生の祭りだってありよ。品のいい艶笑《えんしょう》は上方《かみがた》ならでは。人間存在へのいつくしみが諧謔の効いた二重性の笑いにあふれる。沈没するといいながら何とめでたい神輿だろうか。

横向きの達磨とともに

ここまで絵巻の思想が茂らせた花や実を味わってきた。ではその濫觴《らんしょう》はどこにあるのだろうか。やや唐突だが東洋にそれを探せば、釈尊の本生譚《ジャータカ》とその石彫にまで遡《さかのぼ》れるのではないかと思う。紀元前三世紀頃に成立したそれらにはインド古代の説話も流入しているから、みなもとを尋《と》めゆけばさらに遼遠《りょうえん》である。

俳句にかんしていえば、中国農耕民族の歳時記のもととなった四季の循環にこそ、絵巻の淵源があるといえよう。たとえば、歳時記の祖のひとつ『礼記《らいき》』「月令《がつりょう》」の孟春の項をひらいてみる（『礼記』竹内照夫註釈、明治書院、一九七一年）。「東風凍《とうふうとう》を解き、蟄蟲《ちつちゅう》始めて振《うご》き、魚冰《うをこほり》に上り、獺魚《だつうを》を祭り」とある。これは東風《こち》、凍解《いてどけ》、啓蟄《けいちつ》、魚氷《うをひ》に上る、獺《かはうそ》魚を祭る、といまわたしたちが使っている季語そのものである。季語には、二千年余の時間の隔たりも、中国人とか日本人とかいうチマチマしい境もない。それは大陸の農耕民の生活儀礼や習俗から生まれ、二千年以上を興の地下水とともにいのちからいのちへ旅してきたのである。

ただ『礼記』といまの日本の「歳時記」とのあいだに違いはある。前者には季節にあわせて天子の執り行うべき祭祀と、民が勤《いそ》しむべき農事や漁業が記され、季節違《たが》えのことをすると人民の暮らしに災厄を招くことが記される。いわゆる「天人相関説《てんじんそうかんせつ》」の思想が色濃く影を落としている。島国の「歳時記」にはそうした皇帝の政《まつりごと》の得失と、それにまつわる縦社会のヒエラルキーはほぼないことが特筆される。

日本における絵巻の思想は、大陸における中央集権の垂直構造をかぎりなく横つながりへ、水平方向へ引き伸ばし続けた、といってみることができそうである。自然も有情《うじょう》も非情《ひじょう》も、万物の水平な関係こそが絵巻の柱であり精神のゆたかさである。それを粥状になるまで嚙み砕き、芯にある思想哲学をそれと感じさせないところまで昇華し、身体の次元に溶け込ませたのが花綵列島の文化である。国宝に指定されている四大絵巻（『源氏物語絵巻』『信貴山縁起絵巻』『伴大納言絵巻』『鳥獣戯画』）は日本美術の至宝であるにとどまらない。底を流れる思想に、この国の文化はあまねく潤されてきたのである。その平面における好例は、北斎の『冨嶽三十六景』に見ることができた（第一章　Ⅰ、Ⅱ、Ⅶ）。いまから最後にみる次の三件の美術も、絵巻の思想の生きた果実であり、その高峰を画すものといえるであろう。

人間は、精神の神輿ともいうべき自我をめぐって、古代から思想の苦闘を続けてきた。雪舟の『慧可断臂図《えかだんぴず》』は、六世紀の中国における禅師《ぜんじ》二人の精神のドラマを十五世紀の画僧が自らの心身に引きつけ、新たなドラマとして生き切った名品である。二〇一六年秋、東京国立博物館の「禅」展にかかった。

「へぇ、雪舟って風景画の人とばっかり思ってたのに、人物画も描くのね」

隣の男女二人連れが素直に驚きの声を上げた。今回の展示はガラス越しとはいえ接近できるのがうれしい。キャプションにこうある。

> 禅宗の初祖達磨が面壁坐禅中、神光《じんこう》という僧（のちの慧可）が彼に参禅を請うたが許されず、自ら左腕を切り落として決意のほどを示したところ、ようやく入門を許可されたという禅機の一場面である。
>
> （『臨済禅師一一五〇年　白隠禅師二五〇年遠諱記念　禅―心をかたちに』日本経済新聞社、二〇一六年）

いつ見ても画面に充満する気魄《きはく》には圧倒される。「たったいま描き上げました」といわんばかりの斬新さ。そのくせどこか現代のマンガのようなおかしみさえ漂わせている。鳥羽僧正作といわれる『鳥獣戯画』もそうだったが、和紙のおだやかな質感にまず肌をなごまされる。達磨の白衣《びゃくえ》も明り障子のようになつかしい。指の腹でさすってみたくなる。これ以上ないほど単純化し抽象化した衣の線に、達磨と慧可両人の肉体のたしかな存在感がある。洞窟は狭いはずなのに異様な広さが感じられる。暗いはずなのに明るく、巌《いわお》の天井は低いはずなのに天に通じていそうだ。あまたの皴《しゅん》は鋭く堅固なはずだが、大柏槙《だいびゃくしん》の洞《うろ》にすっぽり入ったような柔らかさがただよう。

たったいま、慧可は腕を斬り落とした。その血のしたたる劇的瞬間は落ち着き払った静寂《しじま》でもある。達磨は表情を押し殺し、慧可は苦痛を呑みこむ。二人の距離は限りなく遠い。なのに、一つだ。達磨の横顔にガラス越しにぴったり頬を寄せるとまるで生身の肌そのもの。皮膚を透かして青白い血管がはしっている。涙腺から弧を描いてたるむ下まぶたの皺の線に、はるか長江の滔々《とうとう》たる泥濁《どろにご》りがだぶってみえる。深刻で切迫した瞬間のはずなのに、愉快なぬくもりがにじみ出す。見れば見るほどへんてこな画だ。ここではありとあらゆる相反するものが一つに溶け合っている。身体感覚と形而上学が一体化している。

ちなみに、もしも達磨がこちらを向いたら、たちまちオソロシイことが起こったはずだ。まず、時が止まった。なぜならわたしたちが達磨の自我と直接対峙することになってしまうから。もっといえば、近代的自我を主題として、室町時代の雪舟が明治時代の漱石と、侃々《かんかん》諤々《がくがく》の議論を闘わす事態が出来《しゅったい》したかもしれない。雪舟vs漱石、両雄相見《まみ》ゆ。勝敗のゆくえ、いざご照覧、というわけだ。

画中にしずかに戻ると、『慧可断臂図』は、まさに二人の男の、自我を洞察する対決現場だった。洞窟の奥へ奥へと視線をいざなう構図は『秋冬山水図』と同じだ。が、この断臂の一瞬は、画中へ畳み込まれる時間の入れ子構造をなすと同時に、まったく奇妙なことに、わたしたち観覧者が三々五々ゆきかっているこの水平の時空へも大きく解き放たれていた。

何ということ！　この一瞬は完結していない。こちらではなく、真横を向く達磨と慧可の視線がそれを告げている。流れる時のなかに二人はただいまも生きている。達磨と慧可はわたしであり、あなただったのだ。変化しあい縁じあい乗換《コレスポンダンス》する肉体として、わたしたちは存在し続ける。だから二人は等身大なのだ。絵の前に立つわたしたちは二人の洞窟にすでに足を踏み入れてしまっている。あなたもわたしも、大きな絵巻のなかに、わけもわからない渾沌の恋人としてともに生きて、変わり続けてゆくのだ。

近代的自我の問題は、西洋では十七世紀のデカルトのコギト、「我思う、ゆえに我あり」に始まった。ところが、東洋では釈尊誕生よりさらに三百年ほど前、古代インドの『ブリハドアーラニヤカ・ウパニシャッド』に真剣な自我との対峙がすでになされていた。その苦悶は次のように鮮烈に表出された。

> ああ！　まことに、夫を愛するがゆえに夫が愛しいのではない。そうではなくて、自己（*ātman*）を愛するがゆえに夫は愛しい。（第2章）
>
> お前は、認識していることを認識しているものを認識することは出来ない。これが、一切の内部にある、お前の自己である。これ以外のものは、〔苦しみによって〕満たされている。（第3章）
>
> （『ウパニシャッド――翻訳および解説』「1 ブリハドアーラニヤカ・ウパニシャッド」湯田豊訳・解説、大東出版社、二〇〇〇年）

こうした古代インドの『ウパニシャッド』に蓄積されてきた深い自己内対話と洞察の伝統を踏まえて、ようやく紀元前五世紀に釈尊は四法印(4)といわれる空相《くうそう》としての諸法無我《しょほうむが》を悟ったのである。

実証はこれからの課題だが、中国にも老荘思想以前にこうした古代インド哲学のなんらかの伝播《でんぱ》があったのではないか。紀元前三〇〇年頃から荘周学派はいっさいの価値を相対化した根源の平等思想である「万物斉同」を説き始めた。当今人気のフェルメールの画は鍵穴から部屋を覗き込む快楽である。雪舟の画にはそのような鍵穴からの視点はない。はてしなく心身に開かれた永久運動があるばかり。

白き息呑むまに言葉逃げにけり　　青畝　八十三歳作『あなたこなた』

禅も俳句もほんとうにいいたいことは言葉にしない。白き息は、『慧可断臂図』でいえば、達磨と慧可の一度きりの切迫した生そのものである。言葉は肉体を置き去る。そこに沈黙が韻《ひび》く。白き息にこもる気は、俳句では切れである。切れによって最短詩は、消極から積極へ反転する。俳句は切れてつながる。沈黙は深いほどいい。

涅槃図に蛇蝎《だかつ》加へて悲しめり　青畝　八十一歳作『あなたこなた』

蛇も蝎《さそり》もおおかたのひとに忌み嫌われる。青畝はそれを逆手にとって、釈尊の入寂《にゅうじゃく》をともに悲しむともがらとした。ここにも万物斉同の絵巻の思想が息づいている。

江戸時代後期の巨花、伊藤若冲《じゃくちゅう》はいっそう過激だ。なんと釈尊を、八百屋の店頭にならぶ二股大根にしてしまった。『果蔬涅槃図《かそねはんず》』には若冲晩年の純一無雑《じゅんいつむざつ》な俳味があふれる。

中央の伏せた笊《ざる》に横たわる二股大根は入滅する釈尊で、あつまってくる野菜や果物は十大弟子や菩薩や動物の見立《みたて》である。悲しみを濾過《ろか》したほのぼのとした笑いのなかに、何という清浄な空気が流れていることか。じつはこの画には諸説紛々の学説が渦巻く。涅槃図の茶化しという説、草木国土悉皆成仏の絵解きであるとする説、父母の供養のために描かれたという説、生家である青物問屋の商売繁盛祈願という説、果ては、当時流行の「尽くし絵」の一ヴァージョンであるとする説まで。やたらと紛糾している。美術史学者はいずれが真実か血まなこになっている。が、いずれでもなかろう。すべての説を包摂し変幻する、これは一つの悠々たる生命体なのだ。

大事なのは作者のモチーフを一つにしぼって学説を定めることではない。二股大根を入涅槃の釈尊に見立て、里芋からなすびまで、おいしくて愛らしい百菜を、釈尊の死を悲しむ弟子や阿羅漢や鳥獣に見立てた、俳諧精神ここにあり、といいたくなる作者の圧倒的な精神の自由さである。そして、絵の前に佇む一人ひとりのこころに、水のように浸透してくる無雑な祈りの共感《エンパシー》である。わたしたちは誰しもが自在なやわらかいほほえみに迎え入れられ、くつろぐのである。

みよしのの白拍子めく菌かな　　青畝　九十歳作『西湖』

吉野の秋はしずか。ほっそりした軸にまどかな朱の傘をさす菌《きのこ》を白拍子《しらびょうし》に見立てた洒脱さ。義経《よしつね》と都落ちしてゆく静御前《しずかごぜん》の艶姿《あですがた》が髣髴《ほうふつ》とする。

「見立て」の濫觴には、はやくも『古事記』の国生み神話に「見立天之御柱見立八尋殿（天《あま》の御柱《みはしら》を見立て、八尋殿《やひろどの》を見立てたまひき）」がみられ、日本文化の伝統となって、いたるところに伏流してきた。ここ三百年では若冲の『果蔬涅槃図』にならんで、ほぼ同時代の浮世絵師、鈴木春信《はるのぶ》の手になる数々の見立絵も天下無双のしなやかさである。なかでも『見立芦葉達磨図《ろようだるまず》』の奇想天外さと静けさは特筆もの。なんと、あだっぽい柳眉《りゅうび》の娘を、梁《りょう》の武帝と面晤《めんご》した禅宗の始祖、達磨になぞらえてしまった。共通項は朱の衣のみ。浅黒い髭面《ひげづら》の堂々たる体躯の禅師が、触れなば落ちんうら若い美人に身をやつしている。「見立て」と「やつし」の美は相補関係にある。達磨からみれば「やつし」の美女が、たおやかに棹さして一枚の芦《あし》の葉で長江を魏《ぎ》へ去る風情こそ、空相のゆたかさというべきであろう。

見立てのなりかわる精神は、聖俗、賢愚、あらゆる差別を笑い飛ばす。俳句では、江戸初期の貞門や談林の機知に頻用されたことから、現代俳人は一蹴《いっしゅう》すべきものと思うらしい。が、みなもとに立ち返りたい。詩歌ならば本歌取りにつながる技法であり、近世以降はさらに沈潜して、やつしの美を生むことになる。絵巻の思想にも、興《きょう》（詩の六義）にもかかわるゆたかな精神の根を持ち、余白の切れを深くする。それらは主語をほとんど必要としない日本語において、人称の乗換えや主体のなりかわりあう共感の土壌である。

その後背地ははるか『荘子』の遊《ゆう》の思想と万物斉同にある。「道」は「くそ、ションベンにもある（屎溺《しにょう》に在り）」（『荘子』外篇「知北遊篇第二十二」）と言い放つ水平と平等の思想は、「仏は糞かきべらだ（乾屎橛《かんしけつ》）」（『無門関』第二十一則 雲門屎橛《うんもんしけつ》）とする禅へまっすぐつながってゆく。

造物主を仰がないわたしたちにゴールはない。あるのは永遠の途中である。途上をゆくさびしさに堪《た》え、「さびしさをあるじに」転ずるのが日本文化である。はてしない道は、雪舟の『慧可断臂図』のように、つねに現在進行形。そこには一瞬の懈怠《けたい》もない。

ロジェ・カイヨワは、「遊びは何ものをも生み出さない。財産を生むことも、作品を生むこともない。それは本質的に不毛なのだ」（『遊びと人間』多田道太郎・塚崎幹夫訳、講談社学術文庫、一九九〇年）といった。わたしたちは心身の無窮《むきゅう》を遊ぼう。遊びはあらゆる未知のものを生み出す。自由はいつもみずからの素《す》のこころから。若冲もうぶな遊びに生きた。あの二股大根も「なすべきことはみななしつ」と微笑みつつ、なんとうぶなことか。

わたしたちは菌《きのこ》、大根、蛇蝎、落花、そして地球の裏がわのひととも、なり代わりなり変わり合う星の住人である。

（1）飯田龍太　（一九二〇～二〇〇七）　山梨県生まれ。父、飯田蛇笏に師事。俳誌「雲母」を継承。七十二歳で同誌を終刊。句集『忘音』で読売文学賞。日本芸術院会員。

（2）川崎展宏　（一九二七～二〇〇九）　広島県生まれ。俳人・国文学者。俳句を加藤楸邨に師事。超結社の同人誌「貂」を創刊。句集『夏』で読売文学賞、『秋』で詩歌文学館賞、評論『俳句初心』で俳人協会評論賞受賞。

（3）阿波野青畝　（一八九九～一九九二）　奈良県生まれ。十六歳で原田濱人に、十八歳で虚子に師事し「ホトトギス」初入選。三十歳で「かつらぎ」創刊主宰。第七回蛇笏賞。詩歌文学館賞を受賞。

（4）四法印　仏教で説かれる万有の真理を示す四つの要点。①諸行無常、②諸法無我、③一切皆苦、④涅槃寂静。

あとがき

二〇一四年に雑誌連載のお誘いを受けた。翌年一・二月号から一七年一・二月号まで、自由に書かせてもらったものをもとに、おおばに書き足したのが本書である。あわっくい（静岡弁で慌てん坊）のノロマだ。小学校の運動会はビリ争い。お産も三日三晩。本書も、若き日から愛読書の多い春秋社から単行本にしていただけるまで、八年がかりの長丁場になった。

大勢の方々のご支援があって生まれた本である。ゆきとどいた編集に、こんな娘がいてくれたら幸せと思う手島朋子氏。想像以上の装幀に与った羽良多平吉氏。身に余る帯文をいただいた荒川洋治先生。当初の連載を最後まで励ましてくれた元『墨』編集長の石山知明氏。率先して校正に協力してくれた静岡高校後輩の坂井則之氏、島田淳氏、見原万智子氏。そして、陰になり日向になり支えてくださった諸兄姉にも深甚の感謝を捧げたい。

アラ還暦には、国際交流基金の援助を得て講演のため三度フランスに行き、かたや老荘思想の研修旅行で二度中国大陸を歩いた。日本文化の大河をさかのぼって、詩の六義の「興」にゆきつくこころみは、いまはない港区の寓居と静岡山中の庵を毎月往復する暮らしから生まれた。都立中央図書館に通うのも、東博《トーハク》や他の美術館に通うのも生きがいだった。中世の絵巻や、雪舟、春信、若冲、北斎の絵から、他者になりかわるやさしさとよろこびをもらった。ご一緒していただけたらこんなにうれしいことはない。

石ころ一つ見えない東京を後に、夜ふけ茅屋に帰りつくたび、真っ暗な山ぎわにひしめく星に息を呑んだものだ。小さいころから自然が好きで、十代はよく、大井川の奥山、笹間上の渓流に一人浸かった。ミヤマカラスアゲハが水面をかすめ、ひぐらしの声が雲母のように降った。いま、竹藪下の狭庭には、ふきのとうが顔を出している。やがて羚羊が若草を食べ、三光鳥が空谷をめぐる。煤だらけの荒家で、文明に分断されていない生きものたちの声を聞いていると、二、三千年前もそう遠いむかしには思えない。どんなに離れていても、ひとの感情は水のように呼び交わしているのではないかしら。

何より、こうしてお手に取っていただいている方に、こころからの感謝を申し上げたい。天にも地にも額ぶちのない絵巻のように、未来に向かってつながることができますように。

二〇二二年　立春の富士を仰いで

藁科庵　恩田侑布子

本書は、雑誌『墨』（芸術新聞社）の連載「水、呼び交わす」（二〇一五年一・二月号〜二〇一七年一・二月号）およびエッセイ「芭蕉の恋」（二〇一五年五・六月号）を再構成し、大幅な加筆修正を加えたものである。

著者略歴

恩田侑布子（おんだ・ゆうこ）
俳人、文芸評論家。1956年9月、静岡市生まれ。早稲田大学第一文学部を卒業。俳誌「豈」、「酔眼朦朧湯煙句会」、連句「木の会」を経て、現在「樸（あらき）」代表。句集に『イワンの馬鹿の恋』（ふらんす堂、2000年）、『振り返る馬』（思潮社、2005年）、『空塵秘抄』（角川学芸出版、2008年）。編著に『久保田万太郎俳句集』（岩波文庫、2021年／Amazonオーディブル、解説朗読2022年）ほか共著多数。
評論集『余白の祭』（深夜叢書社、2013年）により第23回Bunkamuraドゥマゴ文学賞。句集『夢洗ひ』（KADOKAWA、2016年）により第67回芸術選奨文部科学大臣賞、2017年第72回現代俳句協会賞。論作の実績により2018年第9回桂信子賞。
神奈川大学全国高校生俳句大賞選考委員。現代俳句協会賞選考委員。

渾沌の恋人《ラマン》　北斎の波、芭蕉の興

2022年4月19日　第1刷発行

著　　者――恩田侑布子
発 行 者――神田　明
発 行 所――株式会社 春秋社
〒101-0021 東京都千代田区外神田2-18-6
電話 03-3255-9611
振替 00180-6-24861
https://www.shunjusha.co.jp/
印刷・製本――萩原印刷 株式会社
書容設計――羽良多平吉

ISBN978-4-393-44423-8
JASRAC 出 2201527-201
定価はカバー等に表示してあります